D0537547

mam

Croeso i'r Clwb!

I fy lodes fach, Elsi Dyfi Davies, am yr ysbrydoliaeth ac am agor fy llygaid i'r hyn sy'n bwysig, ac i Gareth fy ngŵr. Hebddo fo, fyddai Elsi ddim yma!

Heulwen Davies

Argraffiad cyntaf: 2018
© Hawlfraint Heulwen Davies a'r Lolfa Cyf., 2018
© Hawlfraint y lluniau: Huw Aaron, 2018

Mae hawlfraint ar gynnwys y llyfr hwn ac mae'n anghyfreithlon llungopïo neu atgynhyrchu unrhyw ran ohono trwy unrhyw ddull ac at unrhyw bwrpas (ar wahân i adolygu) heb gytundeb ysgrifenedig y cyhoeddwyr ymlaen llaw

Cynllun y clawr: Huw Aaron

Rhif Llyfr Rhyngwladol: 978 1 78461 551 2

Dymuna'r cyhoeddwyr gydnabod cymorth ariannol
Cyngor Llyfrau Cymru

Cyhoeddwyd ac argraffwyd yng Nghymru
ar bapur o goedwigoedd cynaliadwy gan
Y Lolfa Cyf., Talybont, Ceredigion SY24 5HE
e-bost ylolfa@ylolfa.com
gwefan www.ylolfa.com
ffôn 01970 832 304
ffacs 01970 832 782

RHAGAIR

16 Hydref 2011

Ro'n i, Heulwen Davies o Dderwen-las ger Machynlleth, wedi bod yn paratoi am y diwrnod yma ers misoedd. Ro'n i wedi gwrando ar gyngor pawb a darllen pob fforwm oedd yn bodoli!

Roedd fy nghorff a'm meddwl yn y siâp gorau posibl – dim cystal â rhai o'r merched o 'nghwmpas i, mae'n rhaid cyfadde (*story of my life*!). Roedd Gareth y gŵr gerllaw, a doedd dim troi'n ôl! Dwi byth yn rhegi, dwi'n casáu rhegi, ond dim ond un gair sy'n dod i'r meddwl wrth feddwl 'nôl am y diwrnod hwnnw – SHIT! BANG!

Adrenalin, nerfau, cyffro, blinder:

– cefnogwyr dieithr ar yr ymylon yn ceisio fy nghadw i fynd. Coesau'n crynu, chwysu, llwgu!

Rhaid cofio ffocysu ar yr anadlu, medd y llais 'nawddoglyd' yn fy mhen.

Poen, hitio'r wal, colli'r modd i fyw!

a'r llinell derfyn o fewn golwg.

Ond ro'n i'n gweld dwbwl erbyn hyn! HEEEEEEEEEEEELP!

Pam bod y 'ffrindiau' 'ma sydd wedi bod trwy hyn heb fod yn onest efo fi? Pam eu bod nhw heb gyfadde pa mor anodd a phoenus oedd hyn go iawn?! Dwi byth... yn... mynd... i... siarad... efo... nhw... eto...

AAAAAAAAAAAWWW!

Un gwthiad go lew a haleliwia, roedd o drosodd. Hwr-fflipin-e! Dyn dieithr yn cyflwyno'r wobr i fi, y foment fawr, ro'n i wedi gweithio'n galed ac wedi aros yn hir am hyn...

Anti-climax llwyr! Ar ôl 2 awr a 24 eiliad... medal ddi-nod, efo'r geiriau 'Cardiff Half Marathon 2011' arni.

Ro'n i i fod i deimlo ar ben y byd – fel yr holl bobl yna ar Facebook yn gwenu o glust i glust, a'u postiadau smỳg. Ro'n i wedi cwblhau'r ras, fy hanner marathon cynta (a'r ola) ond ro'n i'n teimlo'n uffernol! I ferch oedd yn rhy drwm i neidio dros y rhaff yn yr *high jump* yn yr ysgol, ac yn rhy dew i ffitio yn y sach yn y ras sachau, roedd heddiw yn uffern o *big deal*. Pam felly bod fi'n teimlo mor SHIT?! (Sori, Mam!)

CYFLWYNIAD

Mae'n rhyfedd meddwl 'nôl i 2011 a meddwl bod fy mabi i yn dechrau datblygu, a bod gen i ddim clem bod hyn yn digwydd! Waw! Tybed fyswn i wedi gwneud y ras taswn i'n gwybod? Na, mae'n siŵr gen i, fyswn i mor *obsessed* efo'r babi a'r beichiogrwydd ac wedi rhoi fy mywyd i ar stop!

Fel mam am y tro cyntaf, daeth hi'n amlwg bod digon o lyfrau a gwefannau Saesneg ar gael i famau, er mwyn cael cyngor a rhannu profiadau, ond doedd dim llyfr Cymraeg na phlatfform digidol Cymraeg. Er bod yr adnoddau Saesneg yn help, o'n i'n methu uniaethu â sefyllfa'r mamau yma, gan bod y mwyafrif yn byw mewn dinas, yn gyfoethog ac yn posh! Roedd eu bywyd nhw yn dra gwahanol i fy mywyd i – fel mam feichiog a mam newydd yng nghefn gwlad Cymru. Nid yn well, ond yn wahanol.

Ro'n i'n awyddus i newid y sefyllfa, er mwyn helpu mamau a rhieni'r dyfodol, wrth sicrhau bod profiadau mamau a thadau yn cael eu rhannu yn y Gymraeg ac yn ddwyieithog, er mwyn portreadu bywyd rhiant yng Nghymru. Dechreuais flogio am fy mhrofiad fel mam newydd ar www.mamelsi.wordpress.com a chael ymateb da iawn. Yn dilyn hyn, ro'n i'n awyddus i annog mwy o rieni i drafod ac i gefnogi ei gilydd, a dyma pryd ges i'r syniad am y llyfr yma a'r syniad ar gyfer fy mlog dwyieithog www.mamcymru.wales.

Dwi erioed wedi ysgrifennu llyfr o'r blaen, ond dwi'n hoffi herio fy hun, felly dyma fi'n cofrestru ar gwrs ysgrifennu un dydd yn Nhŷ Newydd gyda'r awdures a'r fam hyfryd Caryl Lewis. Ar ddiwedd y cwrs, geiriau Caryl oedd, "Os na ei di â'r syniad a'r llyfr yma i gyhoeddwr dydd Llun, fydda i'n mynd ag e i ti!" Diolch, felly, i Caryl Lewis am roi cic yn fy nhin i, a diolch o galon i Meinir yn y Lolfa am ddangos yr un brwdfrydedd, ac am ei chefnogaeth ers i fi ddechrau ysgrifennu'r llyfr yn Ionawr 2017. Diolch yn fawr iawn i'r tad a'r 'lej' creadigol Huw Aaron am fod mor awyddus i ddarlunio'r llyfr hefyd. Mae'n amlwg bod ei brofiadau fel tad i blant ifanc wedi bod yn help mawr iddo wrth ddarlunio'r sefyllfaoedd anturus a doniol sy'n wynebu rhieni newydd!

Os ydech chi wedi prynu'r llyfr neu wedi penderfynu ei ddarllen (diolch yn fawr!), yna mae'n amlwg eich bod chi'n fam, sydd un ai'n feichiog, yn fam newydd neu yn fam brofiadol sydd eisiau hel atgofion neu eisiau busnesa! Neu mai tad neu bartner (dewr) ydech chi, sydd eisiau dysgu mwy am feichiogrwydd a'r cyfnod cynnar gyda'r plentyn bach newydd yma sydd ar fin newid eich bywyd am byth?!

Wel, fy ngobaith i wrth ysgrifennu'r llyfr yw i rannu fy mhrofiad personol i, a hynny wrth ganolbwyntio ar fy meichiogwrdd a fy mlwyddyn gyntaf i gyda'r babi. Na, dwi ddim yn arbenigwr, dwi'n fam i un, ond dwi'n hollol onest ac yn agored iawn i rannu er mwyn helpu ac i wneud i chi wenu a chwerthin (gobeithio) wrth i chi sylweddoli bod POPETH rydech chi'n mynd trwyddo neu ar fin mynd trwyddo yn normal!

Er mwyn sicrhau bod y llyfr yn portreadu profiadau rhieni eraill yng Nghymru, es i ati i greu holiadur i gasglu profiadau eraill ar-lein. Diolch o galon i bawb am gyfrannu ac am fod mor barod i rannu eich profiadau a'ch cyngor. Mae tua hanner cant ohonoch chi'n ymddangos yn y llyfr!

Hoffwn ddiolch i Dr Laura, sy'n wreiddiol o Ferriw a bellach yn feddyg teulu, ac yn fam i ddau. Mae Dr Laura'n cyfrannu'n gyson i fy mlog a hefyd yn gyfnither i'r gŵr. Hi yw'r doctor mwyaf *glamorous* ar y blaned yn fy marn i, ac mae ei chyngor yn amhrisiadwy.

Hoffwn hefyd ddiolch i ddwy ddynes arbennig iawn, sy'n cynrychioli'r bobl fwyaf anhygoel ar y blaned – bydwragedd! Mae Julia Taylor a Carys Griffiths yn ddwy fam ac yn gweithio ym Mro Ddyfi. Carys oedd fy mydwraig i! Diolch i'r ddwy am fod mor barod i rannu tips defnyddiol iawn, ac am wneud hynny gyda hiwmor a phroffesiynoldeb.

Ydech chi'n barod? Yn barod i wynebu'r siwrne, y cyffro a'r antur sy'n wynebu pob mam? Croeso i'r clwb gore a'r mwyaf breintiedig yn y byd!

#MamPower

CHWYDU

Na, dydy beichiogrwydd ddim yn *glamorous*! Gadewch i ni gael hyn yn glir o'r cychwyn cynta! Dwi'n *pro* pan mae'n dod i chwydu! Wir yr i chi rŵan. Mae pob noson allan ers cyn cof yn diweddu efo fi'n chwydu, a hynny gan amla nes tua 6 o'r gloch y noson ganlynol! Dim jôc. OND y tro hwn, do'n i ddim wedi gweld potel Prosecco, heb sôn am ei hyfed hi! Ro'n i wedi chwydu tua tair gwaith y dydd, bob dydd, ers i fi orffen yr hanner marathon yna wythnos yn ôl. Beth oedd yn bod arna i?!

Er gwaetha'r chwydu parhaus a'r ffaith fy mod i'n edrych fel pechod, wythnos yn ddiweddarach, es i allan gyda fy ffrindiau, Sarah, Caz a Cath ym Manceinion. Do'n i heb gael mymryn o alcohol ers deg mis, ro'n i wedi rhoi'r gorau i'r yfed am fy mod i'n cymryd yr hyfforddi ar gyfer yr hanner marathon yn gwbwl o ddifri. Os ydy Heulwen yn gwneud rhywbeth, mae'n ei WNEUD o! (OTT?! Cytuno!)

Mae Cath yn Sgowser i'r carn, a dydy hi ddim yn dal 'nôl.

"You're preggers, hun," meddai.

"No, I just overdid things with my half marathon," medde fi. Ro'n i'n joio dweud 'MY half marathon' erbyn hyn! Ro'n i hyd yn oed wedi rhoi'r post smŷg ar Facebook! Ac off â ni i fwynhau un o'r spas traed *bizarre* yna, yr un lle mae'r pysgod bach yn bwyta'r croen sych oddi ar eich sodlau. Wel, ar ôl i fi chwydu eto yn nhoiled Next, yng nghanolfan siopa'r Arndale!

TRIO

Ar y pwynt yma, efallai dyliwn i esbonio bod Gareth y gŵr a fi wedi bod yn trio cael babi ers dros flwyddyn. Fel sawl cwpwl arall sydd yn methu beichiogi'n syth bin, ro'n i'n eitha *obsessed* efo'r holl beth pan ddechreuon ni drio – siart ar fy ffôn a'r profion *ovulation* drud uffernol yna sy'n dweud wrthoch chi pryd i drio, bwyta'r pethe 'cywir' a darllen *forums* ar-lein a llyfrau di-baid. Er gwaetha pob ymdrech (ac roedd 'na LOT o ymdrechu!) doedd o ddim yn digwydd.

"Mae'n bryd i chi gael babi 'ŵan."

"Ty'd 'ŵan, Heuls. Mae dy frawd bach wedi cael dau."

"*Time's ticking*, Heuls, a ti'n mynd dim iau."

"Roedd genna i bump o blant erbyn cyrraedd dy oedran di."

Gallwn i fynd ymlaen ac ymlaen... ac ymlaen!

Unwaith mae'r fodrwy briodas ar eich bys chi, mae pawb, hyd yn oed y ledi ddiarth y tu ôl i'r til yn Co-op Machynlleth yn meddwl bod ganddi'r hawl i ddweud, "Time for a baby now, love!"

Rai dyddie o'n i bron â mynd allan i brynu megaffon a sefyll ar gloc Machynlleth a gweiddi, "*For the record*, ryden ni'n cael rhyw sawl gwaith yr wythnos, dwi ddim ar y pil a dydy o ddim yn gwisgo condom ond yn anffodus dydy'r sberm bach yna ddim yn berchen ar satnav, felly dyden nhw ddim wedi llwyddo i gyrraedd y *destination* ETO! Gyda llaw, sut mae'ch *sex life* chi?!"

Nid fi ydy'r unig un sydd wedi profi hyn wrth gwrs:

"Dwi'n credu mai *mentality* cefn gwlad ydy o! Mae fel petai dyletswydd ar ferched i gael plant yn syth ar ôl priodi! Os nad ydech chi'n gallu cael babi neu'n dymuno cael babi mae o fel bod pobl yn meddwl bod chi'n casáu plant!" **Carwen, 47**

"Y genhedlaeth hŷn oedd y gwaethaf! Maen nhw'n boen ac yn meddwl bod ganddyn nhw'r hawl i fusnesa!" **Llinos, 40**

"Dwi'n siŵr bod pobl yn meddwl bod fi'n hogan ddrwg achos ges i ddau o blant, y cynta dros 21 mlynedd 'nôl, a dwi dal heb briodi!" **Lyn**

"Y fam yng nghyfraith oedd y gwaethaf! Roedd hi'n desbret i gael wyres! Nath hi hyd yn oed holi os oedd gennon ni broblemau achos bod ni heb gael plentyn yn syth bin ar ôl priodi!" **Nia, 42**

BYDWRAIG YN GALW!

"Os ydech chi yn trio am fabi, mae'n bwysig iawn eich bod chi'n dechrau cymryd *folic acid* yn syth. Dyma'r dechrau gorau i chi a'r babi a does dim angen i chi aros nes eich bod chi YN feichiog."
Carys Griffiths

ADDYSG RHYW

Roedd y cwestiynu yn un peth, ond roedd sawl dynes ddiarth, a hyd yn oed ambell i fodryb, yn mynd gam ymhellach! Roedden nhw'n barod, na, yn awyddus iawn i roi cyngor ar y 'dull' gorau o feichiogi – hynny yw, *sexual positions*! Dwi'n berson agored iawn (yn amlwg, neu fyswn i ddim yn ysgrifennu'r llyfr yma!) ond roedd trafod *sexual positions* ar y stryd fawr ac yn lolfa fy modryb yn dipyn o sioc!

"Pan dech chi'n trio, rho gwshin dan dy ben ôl a choda dy goesau yn yr awyr ar y diwedd – fydd o garantîd o weithio. Dyna sut ges i chwech o blant!"

Newsflash!

Does dim byd yn garantîd o weithio achos...

Newsflash!

... mae pawb yn wahanol! Os ydech chi'n gwylio rhaglen Jeremy Kyle (dwi'n ei gasáu o!), mae'n siŵr y byddech chi'n meddwl mai mynd allan a meddwi ar ddeg peint o Snakebite and Black yw'r ffordd orau o feichiogi!

Hefyd, a dwi'n siŵr fy mod i'n siarad ar ran bob merch sydd eisiau beichiogi pan dwi'n dweud hyn, dwi ddim eisiau trafod fy mhen ôl nac unrhyw ran arall o 'nghorff efo pobl ddiarth, na fy modryb, diolch yn fawr iawn!

BYDWRAIG YN GALW!

"Cofiwch bod babi ddim yn ffordd i achub priodas. Mae angen beichiogi am y rhesymau cywir." **Julia Taylor**

SMILEY FACE

Ar ôl tair wythnos o chwydu, penderfynais brynu prawf beichiogrwydd. Nid dyma'r tro cynta i fi wneud prawf, ac fel merch oedd wir eisiau babi roedd pob profiad hyd yma wedi bod yn dorcalonnus, yn negyddol, ac felly do'n i ddim yn edrych ymlaen.

I ferched sy'n byw yng nghefn gwlad Cymru fel fi, ac yn adnabod, neu'n perthyn i nifer o bobol o'ch cwmpas chi, mae'r broses o brynu'r prawf yn dipyn o strach ynddo'i hun, yn debyg i ryw gynllwyn MI5!

Cam 1

Mynd i fferyllfa ddiarth, gan weddïo nad oes neb yn eich adnabod chi. Aros nes bod y siop fwy neu lai yn wag ac yna rhuthro i'r cownter efo'r profion. Talu heb wneud unrhyw fath o *eye contact* gyda'r staff, ac yna cuddio'r pecyn yn eich bag mor gyflym â phosibl.

Cam 2 Canfod tŷ bach addas a thawel a chloi eich hunan i mewn, yn hollol stresd, cyn mynd ati i wneud y prawf!

Cam 3 Gwneud pi-pi ar y ffon (ceisio anelu at y ffon ond mae hanner y pi-pi yn tasgu dros eich llaw – lyfli... dyna ddechrau'r broses o golli ein *dignity* fel merched!) ac yna aros... am... beth... sy'n... teimlo... fel... oriau am y canlyniad hollbwysig, y canlyniad all newid eich bywyd am BYTH!

Y canlyniad. Cylch bach heb wyneb = dim yn feichiog. Smiley face = beichiog.

Mae'r cylch gwag siŵr o fod yn fendith i'r merched a'r dynion sydd ddim eisiau babi, ond nid felly i fi a Gareth. Pam na allan nhw roi llun o gwtsh neu galon i ddynodi ddim yn feichiog? Roedd gweld y cylch gwag, fel y bol gwag, yn ergyd bob tro.

OND! Heno, yn y tŷ bach, yn Tŷ Hapus, ein cartre ni, roedd y canlyniad yn wahanol. Roedd Gareth yn chwarae pêl-droed a dyma fynd amdani. Tic toc! Tic toc! Cylch gwag fydd hi eto mae'n siŵr, a £10 arall wedi ei wastraffu. OND na, dyma wên – y wên orau i mi ei gweld erioed! Smiley face = beichiog?! Na, mae'n rhaid fy mod i wedi gwneud camgymeriad. Ail brawf....a'r un canlyniad! Gwglo "Can digital tests be wrong?" a chael pob math o ganlyniadau. Ond ro'n i wedi gwneud dau brawf, a dyma'r tro cynta inni gael y canlyniad yma. Ro'n i'n efelychu'r wyneb ar y ffon fach blastig ac yn wên o glust i glust!

MAM

Am y tro cynta erioed, ro'n i, Heulwen Davies, yn weddol ffyddiog fy mod i'n mynd i gael mynediad i'r clwb, y clwb mamau ro'n i'n dyheu i ymaelodi ag e ers cyhyd! Ar ben hyn, ro'n i'n debygol iawn o gael yr enw newydd breintiedig yma, y gair mwya sbesial, un sillaf, tair llythyren (a dwy o'r rheiny'r un fath) = Mam. Do'n i erioed wedi teimlo mor hapus, mor gyflawn.

DAD

Dyma ddechrau'r deilemas! Ydech chi i fod i ddweud wrth y tad yn syth? Ddyliwn i fynd at y doctor yn gynta? Mae'n anodd gwybod beth i'w wneud am y gorau ond fedrwn i ddim peidio â dweud wrth Gareth. Wedi'r cyfan, fo oedd y tad (doedd dim angen prawf DNA diolch yn fawr iawn, Jeremy Kyle!) ac mae hanner y diolch i'r tad am sicrhau bod y sberm bach 'na wedi glanio yn y lle cywir, yn dydy?!

Mae dweud wrth y tad yn brofiad swreal. Rydech chi'n cyhoeddi'r newyddion am y tro cynta. Dwi wedi clywed am rai tadau yn mynd yn wyn, ac yn dechrau britho yn syth ar ôl clywed y geiriau "Ti'n mynd i fod yn dad!" Eraill yn mynd yn flin. Dwi'n cofio un ffrind yn dweud wrtha i bod ei gŵr hi wedi gofyn o ddifri "Ai fi ydy'r tad?" Fyswn i wedi ei sbaddu o!

Roedd y foment yn un arbennig iawn i ni, ac roedd y ddau ohonan ni mor hapus, mewn sioc ond yn hapus! Roedd y ffon blastig yma oedd wedi'i gorchuddio gyda pi-pi yn sbesial, yn mynd i newid cwrs bywyd am byth. Roedd y ddau ohonan ni'n syllu ar fy mol i hefyd, ac yn ei rwbio hyd yn oed. Roedd y bol yma'n mynd i fod yn ffocws, yn destun trafod i bawb cyn bo hir. Roedd y ddynes y tu ôl i'r til yn Co-op Machynlleth yn mynd i gael *field day*! Ond am y tro, ein cyfrinach ni oedd hi! 'Mam' a 'Dad'.

DOCTOR

Er mwyn cadarnhau'r newyddion 200%, ro'n i wedi penderfynu mynd i weld y doctor. Ro'n i'n gyffrous ac yn nerfus wrth fynd i mewn i'r ystafell yn y feddygfa, ond dyna i chi beth ydy siom! Ar ôl gwneud y prawf a chadarnhau fy mod i BENDANT yn feichiog: "Tyrd 'nôl mewn tri mis" oedd ei ymateb, a dyma fo'n galw'r claf nesa i mewn cyn i fi godi o 'nghadair!

Wel, ro'n i'n dychmygu bod mamau beichiog yn cael *check-ups* cyson yn y feddygfa ac yn cael eu monitro gan fydwragedd a'u lapio mewn gwlân cotwm fflwfflyd a moethus. Nid felly mohoni, ac roedd hyn yn dipyn o sioc i fi! Ond nid salwch ydy beichiogrwydd wedi'r cyfan. Er bod y broses yn gallu gwneud i ni deimlo ac edrych yn hanner marw!

Ar y nodyn yna – dwi am godi'r cwestiwn: pa idiot ar wyneb y ddaear wnaeth alw'r salwch beichiogrwydd 'ma yn 'salwch bore'? O'n, ro'n i yn chwydu yn y bore, ond ro'n i'n chwydu trwy'r pnawn a'r nos hefyd, a dwi ddim yn unigryw yn hyn o beth! Dwi'n cymryd mai dyn oedd yr idiot 'ma. Wedi'r cyfan, dyden nhw ddim yn deall beth ryden ni'n mynd trwyddo yn ystod y beichiogrwydd, yden nhw?! Mae'n llawer haws iddyn nhw, yn dydy?!

"Ges i *morning sickness* ofnadwy efo'r tri beichiogrwydd, ac roedd o'n para am dri mis cyfan bob tro! Hunllef o beth, ond rydech chi'n anghofio'n sydyn ar ôl i'r babi gyrr'edd!" **Heulwen, 55**

"Grefi a garlleg ydy fy hoff fwyd ond am ryw reswm ro'n i'n sâl fel ci ar ôl bwyta'r ddau yn ystod fy meichiogrwydd i! Diflas! Diolch byth mai cyfnod byr oedd o!" **Lyn**

"Tua chwech wythnos i mewn i'r beichiogrwydd ro'n i'n sâl fel ci bob dydd ac roedd hi'n amhosibl cadw'r gyfrinach wrth bawb." **Hawys, 34**

Y GYFRINACH

Mae cadw'r gyfrinach yn her! Rai dyddiau rydech chi'n teimlo fel gadael y gath allan o'r cwd, ond rydech chi'n gwybod bod gwell peidio tan ddiwedd y tri mis cynta, oherwydd mae'r risg o golli'r babi yn uwch yn y cyfnod yma.

Dwi'n dychmygu ei bod hi rywfaint yn haws i ferched tref a merched dinas gadw'r gyfrinach, oherwydd dydech chi ddim yn adnabod pawb o'ch cwmpas chi. Mae'n wahanol iawn yng nghefn gwlad Cymru, lle mae pawb yn gwybod busnes pawb. Mewn rhai achosion, mae'r newyddion yn y papur bro cyn eich bod chi'n ymwybodol o'r peth eich hunan!

TIPS!

Esgusodion defnyddiol wrth geisio cadw'r gyfrinach ac osgoi alcohol a bwydydd arbennig:

"Dwi ar *detox*."

"Mae gen i *virus*."

"Mae'r gŵr a finnau'n gwneud mis sych."

"Mae gen i *intolerance* at alcohol."

A'r gorau:

"Mae gen i *diarrhoea*!"

Sneb yn holi mwy wedyn ac maen nhw'n cadw draw = perffaith!

Tips i'r rhai sy'n chwydu'n gyson!

Ewch â phecyn o Handy Andy's, gwm cnoi a bag plastig safonol efo chi i bobman, dim bagiau plastig 5c, buddsoddwch mewn bagiau 20c achos mae'r rhain yn gallu dal mwy o bwysau. Mi wnaethon nhw fy achub i a fy nillad mewn sawl siwrne chwydlyd yn y car!

Mae cadw'r gyfrinach yn y gwaith yn anodd i bawb, yn enwedig os ydech chi'n rhannu swyddfa neu'n gweithio i gwmni bach, fel ro'n i! Ro'n i'n gweithio i gwmni theatr ar y pryd, ac ro'n i'n teimlo fel un o'r actoresau, yn gorfod actio a dweud celwydd o hyd oherwydd 'mod i angen dianc o gyfarfodydd i chwydu. Beth oedd yn anodd hefyd oedd bod fy emosiynau'n rhemp. Ro'n i'n crio o hyd!

Dwi'n edmygu athrawon a gofalwyr plant sy'n gweithio tra eu bod nhw'n feichiog – wynebu llond ystafell o blant wrth dyfu un eich hunan, yn hollol gyfrinachol! Sut maen nhw'n jyglo'r 30 plentyn egnïol yna gyda'r awydd i chwydu a chrio bob munud? Mae gen i lot o barch at athrawon. (Ac nid llyfu tin ydw i fan hyn, gyda llaw!)

> "Gyda dros 80% o ferched beichiog yn teimlo'n sâl a 50% yn sâl yn y trimester cynta, mae nifer o ferched yn gweld y cyfnod yma yn anodd. Y cyngor gorau yw ymlacio, yfed digon o ddŵr, bwyta ychydig yn aml ac osgoi bwydydd sbeislyd a melys. Os nad yw'r rhain yn gweithio EWCH i weld eich meddyg." **Dr Laura**

Y WE

Mae ymchwilio i feichiogrwydd ar y we am y tro cynta yn brofiad rhyfedd iawn. Ddes i ar draws cymaint o bethau erchyll a delweddau graffig IAWN oedd yn saernïo'r meddwl am sbel. Ond ddes i hefyd ar draws nifer o *forums* defnyddiol iawn fel www.mumsnet.com, oedd yn lle i famau cyffredin rannu profiadau. (Mae www.mamcymru.wales yn un gwych iawn i famau Cymru erbyn hyn, wrth gwrs!!)

Yn y cyfnod cynnar yma, mae darllen am brofiadau mamau eraill yn ddefnyddiol iawn, achos bod y mwyafrif ohonan ni heb ddweud wrth ein ffrindiau ein bod ni'n feichiog eto. Mae'r adnoddau yma'n cynnig cefnogaeth hollbwysig.

GWAEDU

> "Mae gwaedu yn ystod beichiogrwydd, yn enwedig yn y tri mis cynta, yn gyffredin. Yn aml iawn, does dim byd i boeni amdano, ond ar yr un pryd fe all fod yn rhywbeth difrifol, megis arwydd eich bod chi'n colli'r babi, felly PLIS ewch i weld y meddyg teulu neu fydwraig bob amser." **Dr Laura**

Yn ôl www.wbmd.com mae 20% o ferched beichiog yn colli gwaed neu *spotting* yn y tri mis cynta, felly peidiwch â mynd o flaen gofid. Pe bai rhywun wedi gallu rhoi'r wybodaeth yma i fi, mi fyswn i wedi bod yn ddiolchgar IAWN!

Ro'n i wedi sylwi ar ambell smotyn o waed yn y tŷ bach ar ddechrau'r wythnos, ond wrth i'r dyddiau fynd ymlaen, roedd y rhain yn ymddangos ar fy nillad hefyd. Pan 'nes i gwglo hyn, daeth y gair mwyaf ergydiol i'r golwg, y gelyn = *miscarriage*.

Ro'n i'n teimlo'n *stressed* uffernol ond yn hytrach na dal i chwilio ar y we a gwneud fy hun yn fwy sâl, mi wnes i'r peth call, a ffonio'r meddyg.

"Mae hyn yn gyffredin iawn," oedd geiriau cynta'r meddyg wedi i mi esbonio'n gyflym iawn beth oedd wedi digwydd. "Cer yn syth i A&E, dwi'n siŵr wnawn nhw gynnig sgan i ti i gael cadarnhau bod popeth yn iawn." A'r geiriau ola oedd "Paid â panicio". Haws dweud na gwneud, Mr Doctor, ond mae clywed meddyg yn dweud hyn yn lot gwell na darllen cymysgedd o wybodaeth ar y we!

Ges i sgan mewnol – profiad erchyll, anghyfforddus iawn a bod yn hollol onest. Ond dydy beichiogrwydd ddim yn hawdd nac yn *glamorous*, fel dwi wedi esbonio eisoes – dyna pam mai ni'r merched sy'n cael babis ac nid dynion, yndê?!

Doedd dim golwg o'r *pregnancy sack*, efallai fy mod i wedi colli'r babi, neu efallai ei bod hi'n rhy gynnar i weld dim neu efallai fy mod i'n cael *ectopic*. Roedd rhaid i fi fynd 'nôl – mewn deg diwrnod.

Roedd y deg diwrnod yna yn uffern ar y ddaear. Yn teimlo fel deg mlynedd. Un munud ro'n i'n feichiog, ar fin cael aelodaeth i'r clwb, a rŵan, efallai bod y cyfan ar ben. Yr *efallai* oedd yn anodd, oherwydd roedd gobaith fy mod i'n dal yn feichiog, ond hefyd efallai fy mod i wedi cael *miscarriage*. Synnech chi faint o ferched rydech chi'n adnabod sydd wedi bod trwy hyn.

Ro'n i'n ddigon emosiynol a sâl fel roedd hi. Dal i chwydu tua deg gwaith y dydd. Ro'n i'n teimlo'n wan ac yn isel, yn edrych fel drychiolaeth, ddim eisiau gadael y gwely. Ond roedd rhaid cario mlaen gyda'r rwtîn oherwydd doedd neb yn gwybod fy mod i'n feichiog.

Ar ben hyn i gyd, roedd y gŵr a finnau i fod i hedfan i America mewn 11 diwrnod! Roedden ni wedi bod yn safio i fynd ar ein mis mêl 'go iawn' ac wedi bod yn edrych ymlaen ers dros flwyddyn. Ond os bydda i wedi colli'r babi, sut alla i fynd allan o'r tŷ heb sôn am hedfan i America? Ro'n i'n teimlo'n chwil, gyda'r bendro mwya uffernol.

Yn ôl www.tommys.org mae 1 o bob 5 yn colli babi yn ystod y tri mis cynta, ac os ydech chi yn eich tridegau, fel ro'n i, mae'r risg yn cynyddu. Yn ffodus iawn, roedd diweddglo hapus yn ein stori ni. Ro'n i'n un o'r rhai lwcus.

Wna i fyth anghofio'r llun yna ar y sgrin yn yr ail sgan mewnol (oedd yr un mor anghyfforddus â'r cynta gyda llaw!) – sach, oedd yn debycach i siâp ffeuen nag ydoedd i sach Siôn Corn, a bod yn gwbwl onest. Ond roedd hwn yn anrheg fel na welais i ei debyg o'r blaen! Ro'n i'n dal yn feichiog. Rhoddais gwtsh mawr i'r meddyg. Mae'n siŵr bod diwrnod gwaith yn ddiwrnod anodd iawn iddyn nhw, yn dydy?

"Saith wythnos i mewn i'r beichiogrwydd, ro'n i'n colli gwaed ac yn sicir fy mod i'n colli'r babi. Do'n i ddim – ro'n i'n disgwyl efeilliaid." **Jessica, 34**

RHANNU'R GYFRINACH GYDA'R TEULU

Roedd y deg wythnos gynta wedi bod yn siwrne a hanner, ac roedd 36 wythnos arall i fynd. "Rome wasn't built in a day" oedd cyngor iwsles Gareth trwy'r cyfan! Roedd hi'n bryd rhannu'r newyddion gyda'n rhieni, rhannu'r baich a'r cyffro cyn inni hedfan i America!

Gyrrodd Gareth yn syth draw o Ysbyty Bronglais, Aberystwyth, i Dywyn ac Aberdyfi lle mae'n rhieni ni'n byw. Siwrne o tua awr, a'r ddau ohonan ni'n eistedd yn dawel a gwên ar ein hwynebau am y tro cynta ers dros wythnos!

Roedd Dad yn gweithio yn y garej deuluol, a fo oedd y cynta i gael y newyddion. Cafodd sioc wrth fy ngweld i'n cerdded i mewn: "Ti'm yn gweithio heddiw 'te?"

Gofynnais iddo ddod allan am funud, a gyda Gareth yn sefyll wrth fy ymyl i, fe ddwedais i wrtho, "Genna i rywbeth i ddweud wrthot ti, Dad. Den ni'n disgwyl babi."

Mae ysgrifennu'r 'olygfa' hon yn rhoi *goosepimples* i fi rŵan! Wna i fyth anghofio'r wên yna, roedd o fel pe bai o'n sgipio draw at Gareth i ysgwyd ei law! Ysgwyd llaw yn gadarn a *macho* – fel pe bai Gareth wedi gwneud y peth gorau yn y byd! Ysgwyd ei law am gael rhyw gyda fi oedd o mewn ffordd, yndê?! Rhyfedd, pan dech chi'n meddwl am y peth. Roedd dweud y geiriau yn gyffrous ac roedd y peth yn fwy real nag erioed o'r blaen!

Mam oedd y nesa i glywed, a hynny mewn arhosfan rhwng Aberdyfi a Thywyn! Daeth car Mam i'n cwrdd â ni ar y ffordd pan oedden ni rhwng y garej yn Aberdyfi a thŷ fy rhieni yn Nhywyn. Stopion ni yn yr arhosfan, ac eto roedd Mam yn edrych yn ddryslyd wrth i fi agor drws ei char ac eistedd yn sêt y *passenger*.

"Be sydd 'di digwydd? Dech chi'n iawn?"

"Dwi'n disgwyl babi," medde fi, a dyma'i llygaid yn llenwi gyda dagrau, a'i chorff yn dechre crynu!

Roedd pitsh ei llais yn mynd yn wichlyd ac roedd hi'n ecseited bost! Er ei bod hi'n flin iawn efo fi am nad o'n i wedi dweud wrthi'n gynt, a hyd yn oed yn fwy blin ar ôl i fi esbonio wrthi am y gwaedu a'r ddau sgan!

Wrth eistedd yno yn yr arhosfan, edrychais draw i ochr arall y ffordd. Gyferbyn â ni roedd y fynwent, y fynwent lle mae tad Gareth yn gorwedd. Roedden ni i fod i gwrdd â Mam yn fan'na.

Janet, mam Gareth, oedd yr ola o'r tri i glywed gan ei bod hi'n gweithio shiffts a ddim yn codi nes hwyr y bore. Roedden ni yn y gegin yn y tŷ yn Aberdyfi, ac roedd hi newydd godi ac ar y ffordd i nôl gwydraid o ddŵr pan ddwedodd Gareth wrthi!

"Heuls is pregnant, Mum."

Roedd hi mewn sioc llwyr, yn dechrau amau mai breuddwydio roedd hi, ond fe gydiodd yndda i ac roedd hi wrth ei bodd! Mwy o ddagrau, ond dagrau o hapusrwydd! Roedd 'na lot fawr o ddagrau wedi bod ar y siwrne hyd yma – a lot mwy i ddod, credwch fi!

HEDFAN

Yn ôl www.nhs.uk mae'n hollol iawn i chi hedfan yn ystod beichiogrwydd, ond mae rhai cwmnïau awyrennau yn gwrthod gadael i chi hedfan yn ystod y misoedd ola oherwydd sawl ffactor, gan gynnwys risg gynyddol o thrombosis, a rhag ofn i chi eni'r babi ar yr awyren! Dychmygwch hynna, geni 'in mid air' heb 'gas and air' – dim i fi, yndê!

Yn ôl y meddyg, ro'n i tua 11 wythnos i mewn i'r beichiogrwydd erbyn hyn, felly roedd hi'n saff i fi hedfan. OND wnes i erioed feddwl am oblygiadau hedfan a chwydu bob hanner awr! Ro'n i wedi mynd â sawl bag plastig yn yr *hand luggage*, diolch byth, achos wir i chi, dydy'r bagiau chwydu yna ar yr awyren yn dda i ddim! Does dim digon o le na chryfder ynddyn nhw. (Dwi ddim am ymhelaethu!)

Does dim modd mynd allan am awyr iach chwaith! Ac yn amlwg doedd dim modd i fi fanteisio ar y gwin am ddim i gnocio fy hunan allan a mynd i gysgu. (Fel wnes i ar siwrne 13 awr i Singapore sawl blwyddyn 'nôl! Stori arall!!)

Ro'n i wedi dechrau sylwi bod fy synhwyrau'n fwy sensitif yn ystod beichiogrwydd hefyd. Wrth droedio ar yr awyren, ro'n i'n gallu ogleuo bwyd a chwys! Wnes i erioed sylwi ar hynny ar unrhyw siwrne awyren flaenorol. Does dim dwywaith mai'r cyfuniad yma oedd y sbardun i chwydu trwy gydol y siwrne wyth awr!

Roedd y siwrne ar yr awyren yn dipyn o her i'r Americanwr anferth oedd yn eistedd drws nesa i fi hefyd! Pan ddechreuais i chwydu (cyn i'r awyren symud o'r ddaear, gyda llaw!) fe roddodd ei glustffonau i mewn, ac roedd o'n troi'r sain i fyny mor uchel nes bod modd i fi a gweddill y rhes glywed ei ffilm Western! Ar ôl ei swper, manteisiodd ar y gwin (diolch byth) ac aeth i gysgu am y bedair awr olaf. Doedd oglau'r chwys oedd yn rhowlio i lawr ei dalcen wrth chwyrnu ddim yn fy helpu i! Afiach!

CAMPER-FANS

> "Sicrhewch eich bod chi'n cael amser gyda'ch gilydd ac yn dal i fwynhau bywyd gyda'ch gilydd cyn i'r cyfnod gwallgof ddechrau!" **Gareth, 38**

Ro'n i wedi syrthio mewn cariad â gwersylla ers i fi syrthio mewn cariad â Gareth. Cyn hynny ro'n i'n troi 'nhrwyn i fyny ar y syniad o wersylla! Ein gwyliau cynta ni oedd gwyliau camper-fanio o Efrog Newydd i Ganada. Roedd y gwyliau'n dipyn o risg i ddau oedd erioed wedi treulio mwy na tridiau gyda'n gilydd ac erioed wedi byw gyda'n gilydd. Ond yn amlwg roedd yn llwyddiant neu fydden ni ddim wedi para cyhyd!

O ganlyniad, roedd gwyliau arall mewn camper-fan yn ddelfrydol ar gyfer ein mis mêl. OND! Wrth fwcio a threfnu taith a hanner – o Efrog Newydd a thrwy Florida yn yr haul poeth, gan orffen gyda pharti anferth Nos Galan yn Times Square – do'n ni ddim yn gwybod bod babi'n mynd i fod yn rhan o'r *mix*!

Dwi ddim am ymhelaethu gormod eto, ond roedd y cyfuniad o wres, oglau a thŷ bach bach iawn, yn gyfuniad gwael (am 3 wythnos). Mis *hell* nid mis mêl efallai?!

Er gwaetha'r chwydu a'r blinder a'r diffyg alcohol, mi wnaethon ni fwynhau! Un o'r uchafbwyntiau oedd nofio gyda dolffiniaid, a hynny oherwydd, fel wnes i ddysgu, mae dolffiniaid yn gallu synhwyro merched beichiog! Doedd fy mol i ddim wedi tyfu llawer o gwbwl eto, felly doedd hi ddim yn amlwg fy mod i'n disgwyl. A dweud y gwir, ro'n i'n un o'r lleia yn y grŵp ar gyfer y sesiwn nofio (*plus point* o fod yn feichiog yn y wlad fwya *obese* yn y byd!). Ar ôl i fi nofio gyda'r dolffin, profiad gwych, daeth yr instryctor ata i a gofyn "Wyt ti'n feichiog?" Ges i dipyn o sioc ei bod hi wedi holi'r fath beth, ond gan nad o'n i'n debygol o weld y ddynes yma eto fe gyfaddefais fy mod i. Roedd hi'n gwybod oherwydd roedd y dolffin wedi bod yn mwytho fy mol i a gwneud sŵn arbennig! Clyfar, yndê!

Does dim dwywaith bod y ffaith fy mod i'n feichiog wedi gwneud y mis mêl yn fwy heriol, ond dydy beichiogrwydd ddim yn salwch! Does dim pwynt rhoi bywyd *on hold* a gohirio pethau, oherwydd pan mae'r babi'n cyrraedd mae'n anoddach byth i wneud unrhyw beth!

SGAN 12 WYTHNOS

Mae'r sgan 12 wythnos yn foment fawr. Rydech chi draean o'r ffordd (dim ond traean?!) trwy eich beichiogrwydd ac rydech chi:

- **A** yn cael gweld eich babi am y tro cynta ar y sgrin;
- **B** yn cael dweud wrth y byd am eich beichiogrwydd oherwydd
- **C** mae'n saff i wneud hynny.

Fel pob prawf uwchsain, mae'n rhaid i chi sicrhau bod eich pledren chi'n llawn dŵr. Mae hyn yn ddigon anodd pan nad ydech chi'n feichiog, ond pan rydech chi'n feichiog ac yn dal i chwydu lot (sori i fynd ymlaen am hyn!), mae'n dipyn o her.

Wrth i'r ddynes roi'r jel oer ar fy mol yn yr ystafell dywyll a dechrau gwasgu lawr yn fwy ac yn fwy gyda'r sganer, ro'n i'n sicir fy mod i un ai am:

- **A** bi-pi dros y gwely; neu
- **B** chwydu drosti hi!

Yn ffodus wnes i ddim un o'r ddau.

Roedd gweld y babi am y tro cynta yn sioc a hanner. Ro'n i wedi gweld y sach eisoes, ond roedd hwn yn brofiad arall!

"We've got a good picture here," meddai'r arbenigwraig wrth symud y sganer o amgylch fy mol.

Ro'n i'n gallu gweld y pen, dwylo, coesau, traed! Ro'n i a Gareth yn emosiynol tu hwnt, ac roedd cael mynd â'r llun adre efo ni yn rhywbeth arbennig – mynd â'n babi

ni'n ôl i'n tŷ ni am y tro cynta. Roedd yr hormonau'n cicio mewn a finnau'n crio ar ddim erbyn hyn felly roedd hi fel llifogydd ar y diwrnod yma!

Rhaid cyfadde fy mod i wedi gweld lluniau rhai sgans 12 wythnos sydd ddim cweit mor glir â fy un ni. Rhai yn ddim mwy na'r sach siâp *kidney bean* efo rhyw ffurf gwyn sy'n debycach i ysbryd ynddo, a dwi wedi gweld rhai eraill sy'n dangos pob manylyn. Ond un peth sy'n siŵr – mae'r profiad o weld beth bynnag welwch chi ar y sgrin yna yr un mor arbennig i bob un sydd eisiau bod yn fam a thad.

RHANNU'R NEWYDDION GYDA'R BYD!

Mae'r busnes rhannu newyddion gyda'r teulu ehangach a ffrindiau wedi mynd yn rhywbeth OTT a dramatig iawn yn fy marn i, yn enwedig ers dyfodiad Facebook.

Yr hyn wnaethon ni oedd mynd i weld pobl oedd yn byw gerllaw a dangos llun y sgan iddyn nhw, dathlu gyda'n gilydd dros baned a chacen. (Wel, am syniad da, ie?!) Gyda theulu oedd yn byw ymhellach i ffwrdd, dyma ni'n eu ffonio nhw a chael sgwrs a rhannu'r cyffro. Yn dilyn hyn, dyma roi llun o'r sgan ar Facebook, a dyna fo!

OND! Diolch i selébs hurt fel Beyoncé a dyfodiad y cyfryngau cymdeithasol, mae rhai cyplau a mamau yn dewis peidio dweud wrth neb, ddim hyd yn oed eu rhieni! Yn hytrach, mae pawb yn gweld y newyddion ar ffurf fideos, lluniau proffesiynol a chostus, darluniau wedi eu comisiynu gan artistiaid ayyb. Mae wedi mynd yn rhywbeth masnachol ac amhersonol fel sawl peth ar ôl dyfodiad y cyfryngau 'cymdeithasol' yma! (Ew, dwi'n swnio'n hen!)

Does dim o'i le ar yr uchod wrth gwrs, pawb at y peth y bo, yndê, ond os bydda i'n ddigon ffodus i fod yn nain un diwrnod, dwi'n gobeithio nad ar Facebook fydda i'n dod o hyd i'r newyddion!!

TIPS A MWY O DIPS!

"Peidiwch â gwrando gormod ar gyngor a thips pobl eraill, ewch gyda'ch greddf. Mother knows best!" **Heulwen, 55**

Wedi i chi rannu'r newyddion, byddwch yn barod am y tips, a'r cyngor DI-BEN-DRAW!

Y babi fydd yr UNIG sgwrs am sbelen. Mae'n destun hyfryd wrth gwrs, ond weithiau rydech chi eisiau sgwrsio am bethau eraill!

"Well i ti ddefnyddio'r lifft yn lle dringo'r grisiau." (Na, dwi ddim yn sâl!)

"Well i ti stopio ymarfer corff rŵan." (Na, mae'n dda i fi a'r babi!)

"Well i ti beidio â chodi hwnna." (O'n i'n ocê efo hyn! Manteisiwch ar yr help a'r VIP treatment! 'Di o'm yn para am byth!)

BYDWRAIG YN GALW!

"Os oeddech chi'n neud ymarfer corff cyn beichiogi, daliwch ati. Os nad oeddech chi'n ymarfer cyn beichiogi, mae'n syniad da i ddechrau symud, a neud rhywbeth ysgafn fel cerdded neu nofio. Y mwyaf o bwysau fyddwch chi'n magu yn ystod y beichiogrwydd, yr anoddaf yw hi i golli hwn wedyn. Fydd y cyfan ddim yn diflannu pan ddaw'r babi allan!" **Julia Taylor**

BOL = MAGNED!

Dwi'n euog o hyn. Dwi'n gweld rhywun dwi'n ei adnabod yn disgwyl babi, y bol crwn gorjys yna, ac yn sydyn iawn dwi'n teimlo bod gen i'r hawl i gyffwrdd yn ei bol hi cyn gofyn llith o gwestiynau! Dwi'n ymddiheuro os ydw i erioed wedi ypsetio rhywun wrth wneud hyn, gyda llaw.

Yn bersonol, ro'n i'n hapus i bobl ro'n i'n adnabod gyffrwdd yn fy mol i. A dweud y gwir ro'n i'n teimlo'n freintiedig eu bod nhw mor gyffrous a brwdfrydig â fi am yr holl beth. Ond dwi'n gwybod am rai sydd wir yn teimlo'n anghyfforddus, ac mae hynny'n hollol naturiol, achos fydde neb yn cyffwrdd yn y bol yna pe baen nhw ddim yn feichiog!

Beth o'n i'n ei weld yn rhyfedd, a dwi'n dychwleyd i Co-op Machynlleth eto, ydy pobl ddieithr, fel y ddynes fusneslyd y tu ôl i'r til a dieithriaid llwyr, yn dod i fyny ata i ac yn mwytho fy mol i cyn gofyn llwyth o gwestiynau a mynd ati i ddweud wrtha i am eu straeon geni! OMG!

Ro'n i'n teimlo fel argraffu crys-t i fy hun yn dyfynnu cân MC Hammer 'U Can't Touch This'. Beth taswn i wedi cerdded i fyny atyn nhw a dechrau mwythau eu bol nhw? Sut fydden nhw'n teimlo? Beth taswn i ddim yn feichiog?! Seriys, bobl, mae angen inni gwestiynu a ydy hi'n ddoeth i fynd ati a chyffwrdd yn ei bol hi – ei chorff hi?! Mae'n hollol nyts pan dech chi'n meddwl am y peth.

"O'n i'n casáu fel roedd pawb, hyd yn oed pobl o'n i ddim yn adnabod, yn gwneud sylw am y bwmp, neu'n waeth byth yn cyffwrdd a theimlo'r bwmp heb ofyn!!!" **Helen, 33**

TIP!

Cofiwch fod mamau beichiog yn gallu cnoi hefyd! Mae'r hormonau'n rhemp, mae ein dillad yn mynd yn rhy dynn ac ryden ni n teimlo'n reit crap amdanon ni ein hunain wrth i bethau dyfu a symud. Felly troediwch yn ofalus wrth ystyried a ddylien ni gyffwrdd ym moliau mamau beichiog, er eich lles eich hunan a'r fam!

Rant arall drosodd!!

HORMONAU!

"Pan ryden ni'n feichiog, mae lefelau ein hormonau'n addasu i'r hyn sy'n digwydd ymhob cam o'r beichiogrwydd, felly mae'n effeithio ar sut ryden ni'n teimlo: blinedig, emosiynol, *bloated* ayyb. Mae'r hormonau gwahanol yn brysur yn ein helpu ni i dyfu babi felly does dim syndod ein bod ni'n gallu teimlo'n *unbalanced* ar adegau." **Dr Laura**

Dwi'n teimlo mai lle Gareth ydy sgwennu'r darn yma a bod yn hollol onest, oherwydd fo brofodd sgileffeithiau'r hormonau! Ryden ni i gyd yn gweld sgileffeithiau hormonau un ffordd neu'r llall yn ystod ein misglwyf; sbots yn torri allan ar ein hwynebau (yn y llefydd mwya amlwg ac anffodus), gwallt yn mynd yn seimllyd, mynd yn fyr ein hamynedd, blinder, crio wrth wylio *Emmerdale* ayyb. OND roedd yr hormonau yn ystod beichiogrwydd yn wahanol!

Ro'n i eisiau crio o hyd, ar ganol brawddeg – ddim brawddegau am unrhyw beth emosiynol, gallwn i fod yn trafod unrhyw beth o liw ffrog rhywun i beth i gael i swper, a mwya sydyn, roedd fy llygaid yn llawn dŵr! Roedd o'n hollol *embarrassing* ar brydiau, yn enwedig mewn cyfarfodydd yn y gwaith. Yn ffodus ro'n i'n gweithio mewn cwmni theatr oedd yn gyfarwydd efo unigolion dramatig, felly roedd hi'n haws i fi!!

Un funud ro'n i ar ben y byd, yn teimlo'n grêt, a'r funud nesa ro'n i'n flin, a'r funud nesa ro'n i eisiau chwydu!

Dwi'n cofio bod yn Ysgol Penweddig, Aberystwyth, yn hyrwyddo gweithdai drama i blant yn y gwasanaeth boreol. Roedd tua 200 o blant a 30 athro yn yr ystafell, ac roedd y cyflwyniad yn mynd yn grêt. Y funud nesa daeth y don 'ma drosta i, y teimlad rhyfedd yna pan rydech chi'n gwybod bod chwydu o fewn golwg. Ro'n i'n poethi ac yn poethi ac eisiau chwydu, a doedd dim dewis ond rhedeg allan hanner ffordd trwy'r cyflwyniad a chwydu, ac yna dod 'nôl i mewn bum munud yn ddiweddarach yn edrych fel pe bawn i wedi cael fy llusgo trwy'r sietin, llygaid coch dyfrllyd a staen chwd ar fy mlowsen. A cheisio cario mlaen o'r lle wnes i orffen gan obeithio na fyddai neb wedi sylwi! Ddim yn hawdd, ac yn amlwg wnaeth 'run o'r plant ddod i'r gwersi drama!

Y gŵr oedd yn cael yr amser anodda. Doedd dim ond rhaid iddo ofyn cwestiwn weithiau: "What's for dinner, hun?" a dyna fo, fel fflach o olau coch o flaen tarw mawr gwyllt!

"Dinner? Dinner?? Do you think I have time to think about dinner? Do you think I have the energy to cook dinner? I'm drained, no, exhausted, you don't know the half of it and another thing..."

Ac roedd hi'n mynd o ddrwg i waeth, a'r creadur bach yn sefyll yno yn gwenu a cheisio fy narbwyllo i fod popeth yn iawn, a'i fod o'n mynd i wneud swper a golchi llestri ar ôl gwneud paned i fi yn gynta! Pum munud wedyn ro'n i'n iawn eto, yn ymddiheuro am fy ymddygiad... cyn dechrau crio!

Mae'r holl beth yn normal! Mae ein cyrff ni'n gweithio *overtime*. Maen nhw'n delio efo ni a'r babi, does ryfedd ein bod ni'n colli arni o bryd i'w gilydd... Ond dwi wedi addo fy mod i'n mynd dramor, yn ddigon pell, ar ben fy hun, pan ddaw hi'n amser y *menopause*!

CUSTARD SLICES

"O'n i'n *obsessed* efo ciwcymbyrs yn ystod y beichiogrwydd! O'n i'n bwyta 4 i 5 cyfan bob dydd!" **Nia, 42**

"O'n i'n hollol *obsessed* efo lolipops oren!" **Hawys, 34**

"Gyda'r babi cynta o'n i jyst eisiau bwyta ffrwythau o hyd, a dwi'n casáu ffrwythau fel arfer! Gyda'r ail, o'n i eisiau pethau melys o hyd. Mae 'na sawl un yn dweud bod *cravings* am bethau melys yn golygu eich bod chi'n cael merch ac roedd o yn wir yn fy achos i!" **Llinos, 31**

Roedd un peth yn gysur mawr imi yn ystod fy meichiogrwydd. Ta waeth pa mor sâl, emosiynol neu *crap* ro'n i'n teimlo, roedd *custard slices* becws y Popty yn Aberystwyth yn gwneud i fi deimlo'n hapus iawn, iawn, iawn am ychydig funudau. Dyma'r unig *craving* ges i, ac ew, roedden nhw'n flasus! Yn 45 ceiniog o bleser pur!

Mae'r busnes *cravings* 'ma yn beth rhyfedd iawn a dwi'n gwybod fy mod i, fel sawl un arall (peidiwch gwadu'r peth, ferched!) yn defnyddio'r *cravings* fel esgus am ddanteithion neu drît bach ychwanegol!

Yn ôl www.babycenter.com mae 1 ymhob 2 ohonan ni'n profi rhyw fath o chwant yn ystod beichiogrwydd. Does dim esboniad llawn am hyn ond mae'n debyg bod hyn yn digwydd oherwydd bod yr hormonau yn ystod beichiogrwydd yn golygu bod ein synhwyrau'n fwy sensitif, ac oherwydd ein bod ni'n ogleuo'n wahanol ryden ni'n blasu'n wahanol ac yn crefu am flas penodol – fel cwstard oer ac eising! MMMM!

"O'n i'n defnyddio'r beichiogrwydd fel esgus i fwyta mwy o Wispas!" **Gwawr, 42**

BYDWRAIG YN GALW!

"Pan rydech chi'n feichiog does DIM angen bwyta i ddau! Mae angen i chi fod yn iach er lles eich hunan a'r babi. Dyma bethau pwysig i gofio wrth fwyta yn ystod beichiogrwydd." **Carys Griffiths**

1. Caffein

Mae angen torri hwn allan neu os nad yw hynny'n bosib, ein cyngor ni yw glynu at ddwy baned o de neu un mygaid o goffi *filter* y dydd.

2. Alcohol

Os ydech chi'n yfed yn ystod beichiogrwydd, gallai'r babi ddangos arwyddion o *alcohol syndrome* neu gallai gael ei eni'n fach iawn.

3. Coginio

Cofiwch bod angen coginio bwyd yn iawn a glynu at y rheolau am ba fwydydd sydd angen eu hosgoi yn ystod beichiogrwydd. Os na fyddwch chi'n gwneud hyn, mae'n gallu achosi salwch fel salmonela neu listeria sy'n beryglus i chi ac i'r babi.

DOSBARTHIADAU CYN-GENI

"Anghofiwch y dosbarthiadau *ante-natal*, gwnewch dymor o wyna! Fydd gynnoch chi syniad go lew o beth i ddisgwyl yn y *labour ward* wedyn!" **Dafydd, 45**

Mae yna sawl peth rhyfedd yn digwydd pan rydech chi'n feichiog, ac un o'r pethau hynny ydy'r dosbarthiadau cyn-geni.

"Gwastraff amser!"

"Doedd 'na'm ffasiwn beth pan o'n i dy oedran di, paid â boddran!"

“Esgus da i gael sgeifio gwaith!”

Do, mi ges i sawl tip arall ar y cam yma. Ac eto, wnes i ddim holi neb am gyngor. Thema gyson, yn dydy?!

Os ydech chi eisiau cyngor am hyn, fy nghyngor i ydy ewch ar bob cyfrif, ac ewch â’r tad efo chi, achos mae’n hen bryd iddyn nhw rannu’r baich a dysgu beth sydd o’ch blaenau chi’ch DAU!

Bydwragedd lleol oedd yn trefnu ac yn arwain y sesiynau ym Mro Ddyfi, ac roedd hi’n braf cael cyfle i ddod i’w hadnabod nhw. Ro’n i *yn* adnabod sawl un wrth gwrs, achos mewn lle bach fel Machynlleth rydech chi wedi tyfu i fyny efo’r bobl yma.

Roedd pob sesiwn yn canolbwyntio ar agwedd wahanol – bwydo o’r fron, newid napi, rhoi bath. Roedd un sesiwn yn ddiddorol iawn i fi, sef dysgu am fuddion ioga a philates cyn ac ar ôl y geni – rhywbeth nad o’n i’n gwybod dim amdano a rhywbeth sy’n ffasiynol iawn y dyddie yma. Ond y peth mwya rhyfeddol i fi oedd Leslie, y ddynes oedd yn cyflwyno’r sesiwn. Nid bydwraig oedd hi, ond mam i 6 o blant! Roedd hi’n hysbyseb anhygoel i’r holl beth achos roedd ganddi’r bol mwya fflat weles i erioed, fel bwrdd smwddio, wir ichi! Es i ddosbarth ioga wythnosol wedi hyn. Katy, mam leol, oedd yn rhedeg y cwrs ac roedd o’n wych, ac yn help mawr i ymlacio, i ffocysu’r anadlu ac ro’n i bob amser yn chwyrnu cysgu am oriau ar ôl bod yn y dosbarth!

Un sesiwn gofiadwy arall oedd y sesiwn am yr enedigaeth – trafod yr opsiynau gwahanol sydd ar gael heddiw. Iesgob, ’den ni’n lwcus! Pwll geni, canolfannau geni, cerddoriaeth, *mood lighting* ayyb! Ond roedd y cyfan yn ormod i un fam, oedd fel fi yn feichiog am y tro cynta. Bu bron iddi lewygu, druan, ac roedd hi fewn ac allan o'r ystafell trwy gydol y sesiwn!

Roedd Gareth yn un o'r tadau prin oedd yn awyddus i ddod i'r dosbarthiadau yma. Wel, cyfuniad o ryw fath o awydd a theimlo bod yn well iddo ddod rhag ofn iddo ypsetio fy *hormones* gwyllt – creadur bach!!

Yn fy marn i, mae'r dosbarthiadau cyn-geni yma o fudd mawr i famau mewn ardaloedd gwledig fel fi, oherwydd prin iawn yw'r cyfle i gymdeithasu a dod i adnabod mamau eraill sy'n cael plentyn yr un pryd â chi. Mae'r boblogaeth yn llai, felly mae llai o famau beichiog ac mae'r boblogaeth yn byw ar wasgar a llai o weithgareddau cymdeithasol i famau.

Roedd yna wyth o famau beichiog yn ein dosbarth ni. Ro'n i'n adnabod dwy ond ges i chwe ffrind newydd o ganlyniad i'r dosbarthiadau yma. Mae cael criw o ferched sy'n byw gerllaw ac yn mynd trwy'r un profiad â chi yn werthfawr iawn yn ystod y beichiogrwydd, ac wedi i chi eni'r plentyn. Mae Clara, un o'r mamau gwrddais i yn y dosbarth, yn un o fy ffrindiau gorau erbyn hyn a'n plant ni wedi tyfu i fyny gyda'i gilydd, sy'n rhywbeth arbennig iawn.

Ond wrth gwrs, er fy mod i'n mwynhau'r sesiynau ac yn elwa ohonynt, roedd fy modryb Mabel yn pregethu wrtha i bob wythnos ein bod ni, 'famau heddiw', yn cael llawer gormod o ffys! Fel fy mam fedydd, a mam i chwech o blant, roedd gen i gyfeillgarwch arbennig a pharch enfawr ati hi, ond roedd hi'n enghraifft berffaith o'r to hŷn sydd ddim yn gwerthfawrogi sut mae bywyd mam wedi newid.

Ryden ni, famau heddiw, yn profi bywyd anoddach na mamau ei chenhedlaeth hi, yn fy marn i. Nid yn unig mae nifer o famau'n byw yn bell o'u teuluoedd erbyn hyn, felly mae llai o gefnogaeth a chymorth wrth law, ond hefyd, mae'n rhaid i'r rhan fwya ohonan ni weithio. Dyden ni ddim yn cael treulio gymaint o amser yn magu ein plant, felly mae ffrindiau a mamau sy'n beichiogi yr un pryd â ni yn gymorth aruthrol a hollbwysig. Mae cael ychydig o ffys yn iawn ac yn beth da, achos ryden ni'n gorfod bod fel rhyw fath o *superwomen* y dyddie yma! #MamPower

BYDWRAIG YN GALW!

"O ganlyniad i ymchwil, mae wedi dod yn amlwg bod mwy o famau yn dioddef o iselder ac *anxiety* ar ôl geni erbyn heddiw. Un o'r ffactorau mwyaf blaenllaw yw'r ffaith fod mamau'n gorfod dychwelyd i'r gwaith ar ôl cael plant. Mae gan famau heddiw fwy o gyfrifoldebau ac maen nhw'n gorfod bod yn fwy na dim ond mam, yn wahanol i sefyllfa'n rhieni neu eu rhieni nhw. O ganlyniad i hyn mae yna fwy o bwyslais arnom ni i asesu iechyd meddwl y fam. Nid gwendid yw hyn, ac mae cymorth ar gael i bawb sydd ei angen." **Carys Griffiths**

"Mae mamau heddiw yn poeni llawer mwy am ddelwedd ei 'lady garden' fel dwi'n ei alw fo! Does dim angen i chi hyd yn oed meddwl am ba mor flewog neu foel ydech chi, ferched, achos y gwir ydy, dyden ni ddim yn cymryd dim sylw ohono fo, oni bai eich bod chi wedi mynd i ymdrech fawr i addurno'r rhan yma o'r corff!" **Julia Taylor**

BYDWRAGEDD

Pan o'n i'n aelod o'r ysgol Sul yn Aberangell, wnes i erioed feddwl y byddai Carys Griffiths, ein harweinydd ifanc a lyfli, yn fydwraig i fi! Wnes i erioed ddychmygu y byddai hi'n gweld rhannau preifat fy nghorff i!

Beth hoffwn i ei wneud yn syml iawn fan hyn, yw talu teyrnged bersonol i Carys a phob bydwraig arall, sydd, yn fy marn i, yn *LEGENDS*! Maen nhw'n werth y byd go iawn. Mae gyda nhw swydd sydd yn anhygoel ar un ochr ond yn dorcalonnus ac emosiynol ar yr ochr arall. Fyswn i BYTH yn gallu gwneud y swydd oherwydd dwi'n llawer rhy emosiynol, felly dwi'n codi fy het iddyn nhw. A thra dwi wrthi, fyswn i'n hoffi gweld bydwragedd, fel nyrsys, yn cael mwy o gyflog hefyd!

SGAN 20 WYTHNOS

"Roedd ein sgan 20 wythnos ni gyda'r babi cynta yn brofiad erchyll. Wnaethon ni ddarganfod bod gyda ni *molar pregnancy* ac yn hytrach na mynd adre gyda llun o fabi perffaith, roedd rhaid i ni ddweud wrth ein teulu a'n ffrindiau ein bod ni wedi colli'r babi. Roedd hyn yn anodd ond, yn ffodus, mae pob sgan 20 wythnos ar ôl hynny wedi bod yn brofiadau hapus." **Mary, 33**

Mae sawl carreg filltir bwysig yn ystod beichiogrwydd, ac i fi roedd y sgan 20 wythnos yn un o'r goreuon. Cyfle i weld y babi mewn manylder am y tro cynta, ac i ddysgu a yw'r babi wedi datblygu'n iawn. Mae'r sgan yma yn *big deal*, ac yn cynnig cyfle i ddod i adnabod eich babi am y tro cynta.

1. Rhyw

Hynny yw, ydech chi eisiau gwybod beth ydy rhyw y babi, nid ydech chi'n cofio ystyr y gair 'rhyw'?! Mae anghofio'r weithred yn ystod beichiogrwydd a hyd yn oed teimlo'n sâl wrth feddwl am y peth, neu daeru na fyddwch chi BYTH yn gwneud hyn eto, yn hollol normal gyda llaw.

Roedden ni wedi trafod rhyw y babi ac wedi penderfynu peidio darganfod yr ateb. Roedd y ddau ohonan ni'n hoffi'r syniad o gael syrpréis, er i Gareth gael ysfa i wybod pan ddywedodd John, y sganiwr, fod y babi'n gorwedd yn y safle perffaith ar y dydd.

2. Llun ar y sgrin

Mae'r sgan 20 wythnos yn llawer mwy manwl na'r sgan 12 wythnos. Roedd ein sgan cynta ni'n un da, ond gyda hwn roedd modd gweld y coesau, dwylo, traed a siâp y pen mewn manylder. Mae'n brofiad emosiynol a sbesial ac ro'n i'n gallu gweld bod y babi'n fywiog iawn. Do, wnes i grio!

3. Chwydu

OMG! Bron i fi farw o embaras ar y cam yma! Roedd John, oedd yn rheoli'r sganiwr, yn gorfod gwasgu'r peiriant uwchseinydd i lawr yn galed ar fy mol, er mwyn cael llun da, ac roedd fy mol yn llawn ar ôl yfed y 2 litr o ddŵr angenrheidiol, ac ar ben hynny, fel rydech chi siŵr o fod yn deall erbyn hyn, ro'n i'n chwydwraig o fri!

Er gwaetha fy ymdrech i atal yr anffawd rhag digwydd, roedd John wedi dyfalu fy mod i ar fin chwydu. Wrth iddo ymestyn am fowlen gardfwrdd i ddal y chwd, dyma fi'n chwydu dros John druan... a'r peiriant uwchseinydd!

"You're not the first and you won't be the last, love!" meddai John gan wenu.

Beth sy'n waeth, wrth gwrs, ydy ein bod ni'n adnabod John a'r teulu. Cywilydd efo C fawr!

Roedd y foment yn un hanesyddol, oherwydd dyma'r tro ola i fi chwydu yn ystod y beichiogrwydd. O leia mi wnes i gwblhau'r ornest chwydlyd mewn steil, yn do?!

BYDWRAIG YN GALW!

"Cofiwch mai'r sgan ydy'r ffordd fwyaf cywir o ddarganfod rhyw'r babi.

Prawf Curiad Calon: Ers talwm roedd pobl yn honni bod curiad calon cyflym yn awgrymu mai merch roeddech chi'n ei gael, ond dydy hyn ddim yn wir bob tro!

Ring test!: Mae hyn yn hen ddull o helpu i 'ddarganfod' rhyw'r babi. Rhowch fodrwy briodas neu bin ar linyn a'i hongian uwchben bol y fam feichiog. Os yw'n symud 'nôl a mlaen mae'n argoeli mai bachgen fydd y babi. Os yw'n symud mewn cylch, merch gewch chi! Ydy hyn yn wir? Na! Allwn ni ymddiried yn hwn? Na!" **Carys Griffiths**

SIOPA

"Peidiwch â phoeni am brynu'r holl drugareddau sy'n cael eu marchnata ar gyfer babanod newydd. Y pethau maen nhw wir eu hangen yw'r pethau sydd ar gael ganddoch chi yn rhad ac am ddim." **Bethan, 43**

Anti Mabel sydd ar fai am y ffaith fy mod i'n siopaholig ers pan dwi'n blentyn bach! Roedd hi'n mynd â fi am drip siopa i'r Amwythig yn ystod pob gwyliau ysgol. Ro'n i wrth fy modd yng nghanol dillad, esgidiau a gemwaith – y mwya lliwgar y gore! Mae fy nghwpwrdd dillad wastad wedi bod fel rhyw gwpwrdd gwisgo i fyny, yn llawn *sequins* a phatrymau bold, ond rŵan, a finnau hyd yn oed yn fwy na'r arfer, roedd hi'n ta-ta i'r *sequins* ac yn helô mawr i Mamas and Papas a Mothercare!

Mae mynd i'r siopau 'babis' yma fel byd arall go iawn. Mae popeth mor fach, mor fflwfflyd a llyfn ac mae 'na lwythi o stwff nad o'n i'n gwybod am eu bodolaeth o'r blaen, fel *baby carriers*, *breast pumps*, *bumbos* a thywelion gyda hwds bach arnyn nhw!

Mi wnes i ddysgu'n reit sydyn fod 'na elfen fawr o snobyddiaeth yn perthyn i siopa ar gyfer babis. Mae Mamas and Papas yn dueddol o apelio at y rhai sy'n hoffi siopa bwyd yn Marks and Spencers a Waitrose. Felly, dyna ble wnes i ddechrau arni – ond mewn *outlet* yng Nghaer gyda 70% oddi ar bopeth! Mae gen i drwyn da iawn am fargen, a doedd yr hormonau ddim wedi effeithio ar hynny, diolch byth!

Ro'n i'n benderfynol o beidio â chael fy sugno i mewn gan y byd fflwfflyd yma a gadael gyda llond treilyr Ifor Williams yn llawn pethau diangen! Y cyfan ro'n i eisiau prynu oedd ambell babygro – rhai ar gyfer Newborn a 0–3 months, achos dyn a ŵyr pa faint fydd y babi pan fydd o neu hi'n glanio, a hefyd mat newid a hetiau a menig bach. Roedd prynu'r rhain yn ddechrau da ac yn gwneud y peth yn fwy real fyth. Rydech chi siŵr o fod wedi dyfalu beth wnes i ar ôl eu prynu nhw – ie, crio!!

WYTHNOS 24

Amser dathlu!

Mae Wythnos 24 yn garreg filltir hollbwysig i bob cwpwl sy'n disgwyl babi. Pam? Oherwydd unwaith mae'n cyrraedd 24 wythnos, mae'n bosibl i fabi oroesi gan bod yr ysgyfaint wedi datblybu'n ddigonol. Ro'n i'n rhyfeddu at hyn oherwydd fel mae'n nodi ar wefan www.babycenter.co.uk dim ond tua 30cm yw hyd y babi ar y pwynt yma, yr un hyd â phren mesur cyffredin, ac mae'n pwyso tua 1.3 pwys, sy'n ysgafnach na bag o siwgwr. Ond mae'n dal yn bosibl i'r babi oroesi os fydd yn cael ei eni heddiw. Dyna pryd ddysgais i fod babis yn llawer mwy *tough* nag yr yden ni'n meddwl!

CICIO

Dwi'n cofio eistedd ar y soffa yn gwylio'r teledu ychydig ddyddiau ar ôl pasio Wythnos 24, ac yn balansio fy mhaned ar fy mol – rhywbeth nad oeddwn i'n gwneud yn ystod dechrau'r beichiogrwydd achos o'n i'n paranoid y byddai'r babi'n llosgi! Gwirion, yndê?! Yn sydyn iawn, dyma fi'n teimlo'r symudiad mwya rhyfedd, a'r te yn y gwpan yn symud. Nid daeargryn, a na, nid gwynt o'r sowth oedd hwn – ond cic! Oedd, roedd y busnes cicio 'ma wedi cychwyn!

Mae'n deimlad rhyfedd ofnadwy pan mae eich babi'n dechrau cicio, ac mae'n gyffredin iawn i hyn ddigwydd o gwmpas y 25 wythnos gyda'r babis cynta. Mae'n gyfuniad o deimlo ychydig fel gwynt ond hefyd fel popcorn neu ddiod pefriog yn adweithio yn y stumog. (Mmmmm, Prosecco!) Mae'n deimlad ofnadwy o braf hefyd achos mae'n gwneud y cyfan yn fwy real eto, ac mae'r ffaith fod y babi'n symud a chicio yn beth da, yn profi ei fod yn iach.

Roedd hi'n rhwystredig i'r gŵr, y teulu a'r ffrindiau pan nad oedd y babi'n cicio llawer ar y dechrau, a nhwythau'n aros gyda'u llaw ar eich bol yn ysu i deimlo'r gic! Dydy plant ddim yn perfformio yn ôl y galw pan maen nhw tu fewn na'r tu allan i'r groth – gwers i'w chofio! Mae'n brofiad arbennig iawn pan mae eich partner yn teimlo'r gic am y tro cynta. Nid chi fydd yr unig un i grio ar y pwynt yma, dwi'n amau! Mae'n deimlad o gysur, y cyfathrebu cynta rhyngddoch chi a'r plentyn ac yn gyfle i'r partner gychwyn adeiladu'r bond gyda'r babi.

Mwynhewch y profiad – cyn i bethau fynd yn fwy anghyfforddus!

BYDWRAIG YN GALW!

"Y cyngor pwysicaf oll gallwn ei roi i fam feichiog yw i asesu symudiadau'r babi. Mae'n hollbwysig eich bod chi'n dod i adnabod patrwm symudiadau eich babi a pha mor aml mae eich babi CHI yn symud. Daw hyn yn amlwg yn ystod eich beichiogrwydd. Os ydy'r patrwm yn newid neu os ydech chi'n poeni o gwbwl am symudiadau'r babi ewch i weld y fydwraig yn syth."
Carys Griffiths

BYD Y BYGIS

Mae bygis yn haeddu pennod, os nad llyfr eu hunain! Wyddwn i ddim bod yna lu o fforymau ar y we yn rhoi cyngor i chi ar wahanol elfennau o'r bygis. Mae o fel prynu car, mae angen ystyried pob elfen yn fanwl ac mae'r mêc a'r *chassis* yn rhyw fath o adlewyrchiad o statws... Mae'n debyg!

Wir i chi, mae prynu bygi yn gallu bod yn job a hanner, yn enwedig pan rydech chi'n byw yng nghefn gwlad heb unrhyw siop bygis o fewn awr a hanner, heb sôn am y *luxury* o fedru cerdded o un siop i'r llall yn profi'r bygis gwahanol ar yr un dydd.

O nefi blw! Ro'n i wedi diflasu gymaint wrth drafod a darllen am y teclynnau yma, nes i fi benderfynu mynd â'r gŵr i'r sioe babis (mae'r fath beth yn bodoli!) yn yr NEC yn Birmingham, fel bod modd cael *trial run* gydag ambell un a phrynu un yn y fan a'r lle.

TIPS WRTH DDEWIS BYGI

1 Peidiwch prynu ar y we heb fynd ati i dreialu un o'r bygis yma. Mae rhai yn ofnadwy o drwm, ac mae'n rhaid i chi dderbyn mai chi fel mamau fydd angen eu defnyddio nhw ar eich pen eich hunain y rhan fwya o'r amser. Felly mae'n rhaid sicrhau bod yr un rydech chi'n dewis yn eich siwtio chi yn fwy na neb.

2 Ewch i fesur bŵt y car! Os nad ydy'r bygi yn ffitio ym mŵt y car, does ots os ydy o'r bygi mwya prydferth ac ymarferol yn y byd. Fydd o'n ddim byd ond trafferth i chi os nad ydy o'n ffitio.

3 Travel System/bygi? Es i am y Travel System, sef sêt car y gallwch chi ei defnyddio fel sêt ar y bygi ar yr un pryd gan ei fod yn haws. Llai o bethau i'w cludo o amgylch ac yn ffordd fwy cost effeithiol o brynu yn y pen draw.

4 Does dim rhaid gorwario! Soniodd un o'm cyd-weithwyr am fygi gwych oedd yn ysgafn, steilus ac ymarferol – ond roedd o dros £1,000! Do'n i'n bersonol ddim eisiau bygi ail law gan fy mod i eisiau sêt car newydd, ond do'n i ddim am wario £1,000 chwaith! Yr un es i amdano oedd yr un cynta wnes i weld yn y sioe babis, sef y Cosatto Travel System oedd yn ysgafn ofnadwy, yn plygu'n fach, yn hawdd iawn i'w ddefnyddio ac yn dod mewn dewis cŵl iawn o batrymau a lliwiau. Roedd y cyfan yn llai na £400 a ches i erioed broblem gyda'r bygi na'r sêt car, ac roedd pawb yn gwirioni ar y lliw leim a'r patrymau coed drosto.

5 Does dim rhaid i chi brynu ail a thrydydd bygi ar gyfer 'Tŷ Nain' ayyb chwaith, a does dim angen *pushchair* os ydy'r bygi'n ddigon ysgafn ac yn plygu'n llai. Mae digon o stwff yn glanio gyda'r babis 'ma felly peidiwch â chael eich sugno i mewn i feddwl bod 'angen' yr holl bethau!

CYNLLUN GENI

"Peidiwch â boddran sgwennu cynllun geni manwl. Mae'r cyfan yn mynd mas drwy'r ffenest pan mae'r amser yn dod!" **Michelle, 32**

"Wnes i sylweddoli ar ôl y cymlethdodau gyda geni'r babi cynta bod cynllun geni yn rhywbeth dibwys ac mae'n rhaid i chi jyst *go with the flow* ar y dydd, a delio efo pob her fel mae'n dod." **Sarah, 38**

Un o'r pethau mwya rhyfedd roedd gofyn i fi ei wneud yn ystod fy meichiogrwydd, yn fy marn i, oedd y cynllun geni.

Pan rydech chi'n byw yng nghefn gwlad Cymru, mae gallu cael yr hawl i roi geni yn eich dewis chi o ysbyty yn ddigon o her ohewydd bod prinder gwelyau ac adnoddau. Mae nifer o fy ffrindiau wedi cael eu gorfodi i roi geni dros y ffin a dwi'n adnabod un fam oedd yn byw ychydig ddrysau i lawr o'r ysbyty, ac roedd gofyn iddi deithio dwy awr i ysbyty arall gan nad oedd lle iddi!

Mae modd rhoi pob math o bethau i lawr ar y cynllun geni erbyn hyn; y math o gerddoriaeth gefndirol hoffech chi, dewis geni mewn pwll, dewis y lliw golau a'r aroglau yn yr ystafell. Y cyfan wnes i nodi oedd fy mod i eisiau geni yn yr ysbyty leol, os oedd lle, a bod Gareth gyda fi. Ro'n i eisiau cadw'r broses mor syml a diogel â phosibl i bawb.

Mae'n rhyfedd meddwl bod Nain, oedd yn fam i wyth o blant (*hero!*), ddim wedi cael unrhyw ddewis a heb gael llawer o gymorth ac roedd hi wedi ymdopi'n grêt gyda phob un. Dad oedd yr ola o'r wyth, a dwi'n cofio'r stori am Nain yn mynd allan i'r farchnad yn Nolgellau i brynu llysiau a dod adre efo'r llysiau mewn un llaw a Dad, ei babi newydd, yn y llaw arall! #NainPower

BYDWRAIG YN GALW!

"Mae cynllun geni yn *pointless*, anghofiwch o! Mae angen i bawb baratoi am C Section, ac mae unrhyw beth arall wedyn yn fonws. OND! Un peth fyswn i yn awgrymu i chi i GYD edrych i mewn iddo ydy *hypnobirthing*, dull o ddysgu'r meddwl a'r corff i ffocysu ar y positif trwy ddefnyddio geiriau positif. Rydw i wedi gweld rhai mamau'n honni eu bod nhw *in labour*, ond maen nhw mor *chilled* o'n i ddim yn eu credu nhw nes i fi archwilio a gweld eu bod nhw 7/8cm mewn iddi! Mae *hypnobirthing* yn gweithio, mae o'n lleihau'r *labour* ac yn helpu chi i fynd i le braf a dim *stress*." **Julia Taylor**

CHWYDDO

"Roedd fy nhraed i wedi chwyddo gymaint nes bod rhaid i fi wisgo fflip fflops yn mis Tachwedd!" **Emma, 39**

"Roedd sawl rhan o gorff fy ngwraig wedi chwyddo yn ystod y beichiogrwydd ac roedd hi'n anhygyfforddus iawn." **Dafydd, 45**

Yn ystod y misoedd ola, a'r wythnosau ola yn benodol, roedd popeth ar fy nghorff i yn chwyddo, nid dim ond y bol! Y dyddiad ro'n i'n disgwyl i'r babi gyrraedd oedd Gorffennaf 17, 2012. Roedd haf 2012 yn boeth iawn a dwi'n siŵr mai dyma un rheswm pam roedd fy nghoesau a 'nhraed i wedi chwyddo gymaint! Ro'n i'n i'n methu rhoi'r pumps Converse ymlaen oherwydd roedd y traed wedi chwyddo ac yn edrych fel traed eliffant go iawn! Roedd bwcwl fy sandalau ar y twll ola hefyd! Ro'n i'n droednoeth neu mewn fflip fflops am y rhan fwya o'r cyfnod yma. Roedd fy mysedd i hefyd wedi chwyddo, ac roedd hi'n amhosibl tynnu fy modrwyau i ffwrdd na gwisgo modrwyau gwahanol. Roedd y cyfan yn anghyfforddus.

Yn ôl www.nhs.uk mae hyn yn hollol normal a'r rheswm pam yw bod ein corff yn dal gymaint o ddŵr ychwanegol, ac erbyn diwedd y dydd mae'r rhan fwya o'r dŵr yn rhan waelod y corff, sef pam bod ein traed a'n coesau ni'n chwyddo.

Y cyngor ges i gan y bydrwagedd oedd i godi'r coesau ar fraich y soffa pan o'n i'n gorwedd, ac i gylchdroi'r traed er mwyn helpu i ystwytho'r cyfan. Roedd hyn yn help, ond mae bod yn feichiog yn y tywydd poeth yn sicr yn heriol, yn ôl nifer o famau dwi wedi sgwrsio gyda nhw.

NYTHU

Wnes i ddysgu sawl term newydd pan o'n i'n feichiog, ac un o'r rheiny oedd nythu, neu *nesting*. Yn ôl www.bounty.com dyma'r diffiniad o beth mae'r term bach rhyfedd yma yn ei olygu:

> *Mae nythu yn rhywbeth y byddwch chi'n ei brofi tua diwedd eich beichiogrwydd. Yn hytrach nag eistedd gyda'ch traed i fyny, yn ymlacio gyda phaned a Jaffa Cake neu chwech, rydech chi'n mynnu glanhau cypyrddau'r gegin, y* skirting boards *a phob math o bethau eraill!*

Ro'n i a Gareth bob amser yn hoffi cartre taclus a threfnus – dyma un fantais o gael gŵr sydd wedi bod yn y fyddin! I fod yn onest ro'n i'n *obsessed* efo delwedd popeth yn y tŷ, cael y clustogau i gyd ar yr un ongl, popeth yn gweddu i'w gilydd ac ati, ond rŵan, ro'n i'n *obsessed* efo tacluso tu mewn i'r cypyrddau a'r drorau, oedd ddim yn hawdd, pan oedd ymestyn a phlygu yn her! Roedd rhyw deimlad bod rhaid i bopeth fod yn berffaith.

Roedd Gareth yn croesawu hyn! Yn anffodus, mae'r obsesiwn glanhau yn diflannu pan mae'r babi'n cyrraedd, felly gwnewch y mwya o'r amser i lanhau rŵan. Ond does dim rhaid, wrth gwrs!

YSTAFELL WELY'R BABI

Ers dyfodiad app Pinterest, dwi'n credu bod mwy a mwy ohonan ni'n meddwl am ddylunio ystafell y babi o flaen llaw. Gan ein bod ni wedi dewis peidio gwybod y rhyw, wnaethon ni ddewis peintio'r ystafell yn llwyd, cael cot gwyn ar gyfer y dyfodol, a rhoi llenni retro amryliw yn yr ystafell. Dyna ni.

Unwaith eto, mae modd mynd yn rhemp, cael eich amsugno i fyd drud a chredu'r cwmnïau di-ri sy'n mynnu eu bod nhw yno er mwyn gwneud ystafell eich babi mor angenrheidiol o berffaith a chysurus. Ac os nad ydech chi'n prynu eu nwyddau, dydech chi ddim yn rhoi'r dechrau gorau i'r plentyn!

Helô?! Wir? Y gwirionedd ydy bod babi ddim angen llawer, dim ond rhywle i gysgu. Wnaethon ni fenthyg pethau gan ffrindiau, fel *baby bouncer*, crud ac ati. Does dim angen gwario dim a bod yn onest. A chofiwch na fydd y babi'n gallu gweld yn iawn am gyfnod, heb sôn am sylweddoli os nad oes ceffyl siglo yn y gornel a mobeil wedi'i gwneud â llaw uwchben y cot a phaent Farrow and Ball ar y waliau! Mae'n debygol y byddan nhw'n cysgu yn eich ystafell wely chi am sbel (hir!) beth bynnag!

GWAITH PAPUR

Un peth sy'n bwysig i'w gofio yng nghanol yr holl brysurdeb yma ydy sicrhau bod eich cyflogwyr yn gwybod yn union pryd rydech chi'n gorffen gweithio, a hefyd sicrhau eich bod chi wedi trefnu eich tâl mamolaeth/SMP/Child Benefit. Mae'n hawdd anghofio rhai o'r pethau yma, ond mae'n haws gwneud y trefniadau terfynol mor fuan â phosibl.

PACIO'R CÊS/TREILYR!

"Un o'r tips mwya defnyddiol ges i wrth benderfynu beth i bacio ar gyfer yr ysbyty, oedd i brynu digon o *granny pants*! Mae o'n wir, byddwch chi angen nhw!" **Helen, 33**

Yn ôl www.parents.com dim ond 5% o fabanod sy'n cyrraedd ar amser, ond gyda mis i fynd, ro'n i'n awyddus i bacio'r cês ar gyfer yr ysbyty, a hynny'n benna gan bod fy nheulu a fy ffrindiau'n awgrymu yn garedig bod hyn yn syniad da. Efallai gan bod fy mol i mor ofnadwy o anferth, ac roedden nhw'n ofni fod y babi'n dod yn gynnar!

Beth i bacio? Roedd y dosbarthiadau cyn-geni a'r bydwragedd wedi dweud bod angen inni fynd â rhywfaint o ddillad ar gyfer y babi a chewynnau a blanced. Ro'n i'n meddwl byddai'n syniad da i fi fynd â phyjamas a gŵn nos (gŵn lliw tywyll, gan bod ffrindiau wedi sôn eich bod chi'n gallu gwaedu/baeddu'n hawdd yn ystod yr enedigaeth – rhywbeth arall i edrych ymlaen ato?!) ac yna bag ymolchi a cholur. Ond na! Ges i gopi o sawl rhestr o bethau 'angenrheidiol' roedd fy ffrindiau wedi'u derbyn neu wedi'u lawrlwytho o'r we! Unwaith eto, rhestr hirfaith o bethau, ac i fod yn onest, y mwyafrif yn ddiangen!

Olew ar gyfer y bath, CDs *whale music*, iPad, iPod, pêl ioga, canhwyllau, dillad gwely, air fresheners, Tens machine, teclynnau tylino, cylchgronau, llyfrau, llyfr posau...

Roedd rhai pethau defnyddiol ar y rhestrau yma, ond dyma fy nghyngor i (gan gofio bod teulu/ffrindiau/siopau gerllaw/modd archebu ar y we os ydech chi angen rhywbeth ychwanegol neu'n gorfod aros i mewn am gyfnod ar ôl rhoi geni):

TIPS!

Pacio ar gyfer y babi:

- 4 dilledyn ar gyfer y babi – dau faint gwahanol.
- Hetiau a menig a bwtîs.
- Blanced.
- Mwslin.
- Cewynnau.
- Tywel.
- Sedd car wedi'i rhoi yn ei lle yn barod.

Os byddwch chi'n cael ymwelwyr, byddwch chi'n siŵr o dderbyn anrhegion defnyddiol ac mae modd gofyn i ymwelwyr ddod â pethau ychwanegol os oes angen!

Pacio ar eich cyfer chi:

- Bwyd! Digon o fwydydd sych i roi egni, a diodydd i'ch cadw chi fynd. Anghofiwch am y calorïau, mae *workout* o'ch blaenau chi!
- Cynllun geni (!).
- Pyjamas a slipers cyfforddus a gŵn nos lliw tywyll.
- Dillad llac, cyfforddus, gan y bydd y nyrsys angen mynediad hawdd i bob rhan o'r corff!
- Llyfr/Chwaraewr DVD i'ch diddanu (pam wnaeth neb ddweud wrtha i am hyn?!).
- Ffôn a *charger*.
- Bag ymolchi a cholur.
- 'Nursing bra' os ydech chi am fwydo o'r fron.
- Nicyrs mawr du i wisgo ar ôl rhoi geni – maint mwy na'r arfer gan na fyddwch chi eisiau niceri sy'n rhwbio na gwasgu ar greithiau a rhannau sensitif ac efallai bydd angen i chi wisgo *sanitary pads* mawr ar ôl rhoi geni gan bod gwaedu yn gyffredin.

BYDWRAIG YN GALW!

"Ewch â Jelly Babies i gadw chi fynd a chofiwch fynd â gwlanen er mwyn i chi neu'r partner geni sychu a fwytho eich hwyneb, yn ôl eich dymuniad.

Fyswn i'n cynghori'r dynion/partner i bacio'r bag ysbyty, fel eu bod nhw'n gwybod ble mae popeth ac yn gwybod BETH ydy popeth yn y bag! Y realiti ydy mai nhw fydd yn gorfod tendio arnoch chi a nôl y pethau yma, felly mae'n llawer haws os yden nhw'n gwybod ble mae pob peth." **Julia Taylor**

CREITHIAU

Un peth ro'n i'n nerfus amdano yn ystod fy meichiogrwydd oedd cael *stretch marks*, achos dyden nhw ddim yn edrych yn neis ac ro'n i wedi clywed eu bod nhw'n gallu cosi. Fel un sydd wedi bod dros ei phwysau erioed, roedd gen i ychydig o greithiau gwyn yma ac acw, ond ro'n i'n poeni am y rhai coch a phiws mawr yna.

Ro'n i wedi bod yn ffodus iawn, tan y deg diwrnod ola ro'n i wedi llwyddo i osgoi'r rhai piws, ond wedyn dyma nhw'n cychwyn datblygu ar y bol. Dim ond llinellau bach pinc ysgafn i ddechrau ac yna ambell un coch/piws. Yn ffodus, ro'n i'n methu eu gweld nhw achos roedden nhw dan y bwmp enfawr! Yn ffodus, maen nhw wedi diflannu'n llwyr bellach.

TIP!: Un peth wnaeth helpu fi oedd dal ati i rwbio Bio Oil ar fy mol 3 gwaith y dydd.

CYFNOD MAMOLAETH

Yn wahanol i'r mwyafrif, swydd dros gyfnod mamolaeth cydweithwraig oedd gen i pan syrthiais i'n feichiog (rhywbeth yn y dŵr?!), ac felly unwaith ro'n i'n gorffen gweithio doedd gen i ddim swydd i ddychwelyd iddi.

Mae'r cwestiwn o bryd i orffen gwaith yn anodd. Mae pawb yn wahanol – rhai eisiau gorffen yn gynnar gan eu bod nhw'n flinedig a diegni neu'n anghyfforddus, eraill eisiau gweithio nes y funud ola er mwyn cael mwy o amser i ffwrdd o'r gwaith ar ôl geni'r plentyn. Rhaid gwneud beth sy'n iawn i chi.

Wnes i orffen gweithio ychydig dros bythefnos cyn y dyddiad geni, ac i fod yn onest ro'n i'n hen barod i orffen oherwydd ro'n i mor anferth. Ro'n i wedi magu bron i 3 stôn ac roedd fy wast yn mesur 43 modfedd – i ferch 5 troedfedd a 1 fodfedd mae hyn yn fawr! Ro'n i'n gweithio fel Swyddog Marchnata, roedd gen i egni di-ben-draw fel arfer, ond roedd y mis ola wedi bod yn straen oherwydd y gwres.

Wnes i'r mwya o'r cyfle i roi fy nhraed i fyny a gorwedd o flaen y ffan yn y lolfa! Gan fy mod i'n ymwybodol nad oedd tâl mamolaeth yn ddyledus a bod yn rhaid byw ar yr SMP, oedd ychydig mwy na £500 y mis ar y pryd, do'n i ddim eisiau mynd allan a gwario chwaith. Felly, ymlacio a thraed i fyny, ioga a rhywfaint o nofio oedd hi am y bythefnos ola fwy neu lai, heblaw am ymweld â rhai o'r mamau eraill o'r dosbarth cyn-geni oedd eisoes wedi cael eu babis. Roedd y cyfan yn real a chyffrous iawn ar ôl gorffen gwaith, ond ro'n i'n hen barod am y babi rŵan!

AROS

"Mae pob beichiogrwydd, yn enwedig y cynta, yn gallu teimlo fel amser maith. Mae naw mis yn amser hir i aros am unrhyw beth, ac ro'n i'n ysu i gwrdd â'r babi. Mae'n anodd peidio poeni a hel meddyliau hefyd ond mae o werth yr holl amser. Mae cofio bod angen i bob mam fod yn amyneddgar trwy'r amser!" **Bethan, 43**

Hir yw pob ymaros, ond mae'r aros i fabi gyrraedd yn teimlo fel oes yn yr wythnosau ola... yn enwedig wrth i'r dyddiad geni gyrraedd a phasio. Rhwystredig iawn!

ANNOG Y BABI I GYRRAEDD!

Mae nifer o fy ffrindiau yn ardal Machynlleth yn byw ar ffermydd, ac un tric sy'n cael ei ddefnyddio'n gyson yn yr ardal er mwyn annog y babi i gyrraedd yw mynd â'r wraig feichiog ar gefn beic modur pedair olwyn ar hyd ffordd garegog anghyfforddus – er mwyn 'ysgwyd' y babi allan. Mae wedi gweithio i sawl un!

Mae sawl tric arall hefyd wrth gwrs, yfed te mafon, bwyta bwyd sbeislyd, cael rhyw (ych a fi!) ac ati, ond fel roedd y bydwragedd yn dweud wrtha i, fe ddaw'r babi pan mae'n barod. (Ond iesgob dafydd, c'mooon!!!)

Beth sydd ddim yn helpu ar y pwynt yma ydy'r mamau sy'n rhannu profiadau am ba mor gyflym a hawdd oedd eu genedigaethau nhw!

TIP!: Ceisiwch osgoi gweiddi a slapio'r mamau yma! Mae cadw'r lefelau stres yn isel yn hollbwysig!

AR LAN Y MÔR

Ar lan y môr yn Aberdyfi wnes i gwrdd â Gareth, a dyna ble wnaethon ni briodi, ac ro'n i wir yn credu fy mod i'n mynd i roi genedigaeth ar lan y môr hefyd. Ond doedd hyn ddim ar y cynllun geni!

Dychmygwch y sefyllfa. Roedd hi'n ddiwrnod uffernol o boeth ym mis Gorffennaf 2012, roedd Gareth eisiau mynd i weld ei frawd Mathew a'i deulu oedd ar wyliau yng Ngheinewydd. Y broblem oedd bod ein babi ni eisoes yn hwyr. Mae'n gyfnod anodd – mae'n anodd aros adre a rhoi popeth ar *hold* – ac mae'n uffernol o ddiflas hefyd. Ond, ar yr un pryd, mae angen bod yn synhwyrol, oherwydd mewn ardal wledig gyda phrinder ysbytai, mae angen sicrhau eich bod chi o fewn cyrraedd i un ohonyn nhw! Mae Ceinewydd tua awr a hanner o'n cartre ni a 45 munud o'r ysbyty, felly ro'n i'n credu bod hyn yn iawn, oherwydd go brin bod babi cynta yn mynd i lithro allan...

Ro'n i'n teimlo'n reit rhyfedd yn y car ar y ffordd draw, poenau rhyfedd 'lawr staer' a *twinges* od, ond wnes i ddim sôn dim (a thrio 'ngore i beidio gwneud y wynebau 'na sy'n cyfleu W! neu A!). Ar ôl cyrraedd Ceinewydd, parcio a dechrau cerdded i lawr y rhiw serth i'r traeth, roedd y poenau'n mynd yn waeth a doedd dim modd cuddio'r peth mwyach – doedd hyd yn oed y radd mewn Theatr ddim yn mynd i helpu fi i gadw wyneb syth ar y pwynt yma! Roedd fy nghoesau'n crynu, ac ro'n i'n chwythu fel ci!

Ro'n i'n edrych fel *beached whale*, ac aeth fy mrawd yng nghyfraith i logi *deckchair* yn reit handi. Roedd o'n panicio ac yn wyn fel y galchen, a finnau'n mynd yn fwy a mwy coch bob eiliad – ac nid yr haul oedd ar fai. Er, doedd hwnnw ddim yn helpu! Wrth syrthio i mewn i'r gadair, oedd dan straen aruthrol oherwydd fy maint a fy mhwysau, ro'n i'n panicio na fyddwn i byth yn gallu codi, neu'n waeth byth, yn dychmygu fy hun yn rhoi geni yn y fan a'r lle, o flaen yr holl ymwelwyr oedd yn syllu arna i'n hurt o bob cwr o'r traeth. Neb yn fwy na Gareth druan!

Yn ffodus, penderfynodd y babi aros ble roedd o neu hi am y tro. Unwaith ro'n i'n teimlo'n ddigon cryf i gerdded 'nôl at y car, adre â ni! OND fel sawl un, dydy Gareth ddim yn medru gyrru heibio'r siop sglodion yn Aberaeron. Gollyngodd fi ar y fainc gyferbyn, a mynd i ffwrdd i barcio'r car. Ar y fainc, a finnau ar ben fy hun, dechreuodd y poenau eto, gan fynd yn waeth ac yn waeth! Wrth gerdded tuag ata i a gweld fy stumiau, rhedodd Gareth yn syth 'nôl i'r maes parcio i gasglu'r car. Do'n i DDIM eisiau rhoi genedigaeth ar fainc yng nghanol Aberaeron! Dychmygwch y llun ar dudalen flaen y *Cambrian News* – fi ar y fainc efo babi mewn un llaw a tships yn y llall. No we!

Dyma ffonio'r fydwraig a chael sgwrs debyg i hyn:

"Help, dwi wedi cael dau lot o boenau ofnadwy heddiw, dwi'n credu bod y babi'n dod... rŵan!"

"Haia, bech, paid â phanicio. Os ti ar y ffôn efo fi ac yn gallu siarad fel'na, dydy'r babi ddim yn dod rŵan! Faint o amser sydd ers y poenau dwetha?"

"Ond mae o'n lladd fi a dwi ofn! Oedd y lleill tua dwy awr yn ôl."

"Does dim angen bod ofn, canolbwyntia ar yr anadlu ac ymlacia. Mae'n swnio fel bod pethau'n dechrau symud, ond os nad yden nhw'n dod yn fwy rheolaidd, mae 'na ddigon o amser i fynd cyn bod y babi'n dod. Mae 'na lot gwaeth i ddod, cariad. Sori ond fydd o werth o."

OMG, yn gynta mae'r bydwragedd yma'n anhygoel ond yn ail, nid dyma'r poen gwaetha dwi'n mynd i gael, mae o'n mynd i fod yn LOT mwy poenus na hyn. Ac yn ola, sut ddiawl ydw i fod i ymlacio rŵan?!

Os ydech chi'n *control freak* fel fi, mae hwn yn gyfnod rhwystredig tu hwnt, oherwydd am y tro cynta, does dim allwch chi ei wneud ond aros. Does dim modd cynllunio ac mae'n anodd delio gyda'r ffaith mai'r babi, ac nid chi, yw'r bòs yn y sefyllfa yma. Y gwirionedd yw bod babis/plant yn dod yn fosys arnoch chi mewn sawl sefyllfa o hyn ymlaen ond o leia mae'n gyfnod byr, er nad yw'n teimlo felly ar y pryd!

BYDWRAIG YN GALW!

"Mae'n bwysig bod y fam yn gwrando ar ein cyngor ni. Ryden ni'n delio gyda beichiogrwydd a genedigaeth bob dydd, felly trystiwch ni!"

Julia Taylor

CYFANGIADAU (CONTRACTIONS)

"Dwi'n cofio'r dŵr yn torri pan o'n i yng nghadair y deintydd! Dwi hefyd yn cofio'r *contractions* yn cychwyn wrth i fy chwaer yng nghyfraith liwio fy ngwallt i!" **Nia, 32**

Dau ddiwrnod yn ddiweddarach ro'n i'n eistedd yn yr ardd efo Gareth a'i fam. Dechreuodd y poenau eto, ond y tro hwn roedd y cyfan yn llawer cryfach, ac ro'n nhw'n dod ac yna'n diflannu'n gyson. Roedd Janet, mam Gareth, yn gallu gweld ar fy wyneb i fod rhywbeth yn digwydd a ie, hwn oedd y dechrau go iawn. Roedd o'n brifo, ond gan fy mod i'n gwybod mai 'dyma ni', roedd o'n gyffrous hefyd achos roedd y babi ar ei ffordd... o'r fflipin diwedd!

ESGOR/LABOUR = LLAFUR!

"Jyst cofiwch beth fydd gyda chi ar ddiwedd y boen!" **Nia, 32**

"Roedd y babi cynta bythefnos yn hwyr a ges i fy indiwsio. Bu bron i'r ail gael ei eni yn y car!" **Llinos, 40**

"Dydy *labour* ddim yn erchyll. Fyswn i ddim wedi rhoi genedigaeth i 8 o blant pe bai o mor wael â hynny." **Bridget, 41**

"Tip i'r tadau. Os fyddwch chi ochr arall y llen yng nghanol C Section – jyst caewch eich llygaid!" **Owain, 42**

"Mae rhoi genedigaeth yn anodd ar brydiau, ddim yn erchyll, jyst anodd. Ond cofiwch mai dim ond diwrnod neu ddau o'ch bywyd chi yw hwn. Roedd *hypnobirthing* yn help mawr i fi ac roedd adegau pleserus yng nghanol y cyfan." **Rhiannon, 36**

"Pedair awr gymerodd fy mab i gael ei eni o'r dechrau i'r diwedd! Roedd yr ail yn ferch a hanner awr fues i wrthi efo hi!" **Lyn**

"Mae cael partner geni da a chefnogol yn bwysig iawn ac yn gwneud gwahaniaeth mawr!" **Teresa, 57**

Yn anffodus, fel y mwyafrif o fabanod, doedd hwn neu hon ddim am roi profiad hawdd i fam! Ro'n i fewn ac allan o'r ysbyty am dri diwrnod. Rhai nyrsys yn dweud bod y *contractions* wedi dechrau a 'mod i wedi lledagor hyn a hyn o gentimetrau, ac eraill yn anghytuno. Doedd Carys y fydwraig ddim yma, oherwydd mewn ardaloedd gwledig mae bydwragedd fel aur, yn brin, a does dim modd iddyn nhw warantu bod efo chi – yn anffodus.

Wnes i drio'r *gas and air* – doedd o ddim yn fy helpu i.

Es i i'r pwll dŵr – roedd o'n brifo wrth fynd i mewn ac allan, a gan mai dim ond un pwll oedd yn yr ysbyty, roedd merched eraill eisiau ei ddefnyddio, felly o'n i methu ymlacio!

Ges i *epidural*. Roedd hwn yn anodd. Mae'n rhaid i chi fod yn hollol lonydd pan mae'r meddyg yn rhoi'r nodwydd hir i mewn i'ch asgwrn cefn, ond roedd fy nghorff yn crynu dan straen a phoen. Fe weithiodd, am gyfnod, a diflannodd y boen ac roedd modd ymlacio eto – nes iddo golli ei effaith, gan bod y babi bach yma mor stwbwrn.

Arafodd y cyfangiadau a doedd gen i ddim egni i fownsio ar y belen ioga! Do'n i erioed wedi teimlo mor rhwystredig yn fy myw, roedd hyd yn oed y staff yn colli amynedd!

Roedd Gareth gyda fi, mae o'n gyn-sarjiant yn y fyddin, yn gyn-aelod o'r criw bad achub, yn aelod o'r tîm achub mynydd ac wedi bod mewn sawl sefyllfa erchyll a hunllefus, ond roedd fy ngweld i yn y fath stad a'r holl boen yn ormod iddo! Roedd ganddo boen pen a chynigiodd un nyrs ei fod yn mynd i orwedd mewn gwely gwag mewn ystafell arall er mwyn arbed ei egni. OMG! Oedd hyn actiwali'n digwydd? Y tad yn cael mynd i orwedd lawr achos bod ganddo boen pen! Beth amdana i?!

Beth oedd yn waeth oedd gweld yr holl ferched yma'n cyrraedd y ward ac yna'n gadael efo'u babis! Clywed un babi ar ôl y llall yn glanio yn y byd, a meddwl pam na all fy un i ddim dod? Beth o'n i wedi'i wneud i haeddu hyn? Doedd gen i ddim byd i fy niddanu i, dim ond y bedair wal lliw samwn afiach, dim teledu na cherddoriaeth, ac roedd fy ngŵr yn cysgu'n braf yn yr ystafell drws nesa!

Rhaid canmol mwyafrif y staff, ond roedd 'na rai nyrsys yn well na'i gilydd! Rhai yn glên a chefnogol ac eraill yn fwy *matter of fact* a braidd yn flin a bod yn onest – wedi cyrraedd oedran ymddeol a ddim y bobl orau i fod gyda chi yn y sefyllfa yma, yn enwedig pan rydech chi'n gwneud hyn am y tro cynta, a'r ornest ddim yn mynd yn grêt hyd yma!

Roedd hi'n ddiwrnod seremoni agoriadol y Gemau Olympaidd yn Llundain, ac roedd un o'r bydwragedd wedi bod yn jocian efo fi am y ffaith bod yn rhaid i fi gael seremoni agoriadol fy hun heddiw! Yn ffodus, daeth yr awydd i wthio o'r diwedd, rhyw deimlad rhyfedd sy'n dod drostoch chi fel ton, fyddwch chi'n gwybod pan ddaw o! Aeth bydwraig arall i nôl Gareth a mynnu bod angen iddo 'get a grip' am ei boen pen a bod yna i fi rŵan! (Oedd, myn uffern i!) Wnes i ddechrau gwthio ar y gwely, a bues i yna am dair awr! Ym mhob safle posibl, roedd popeth yn ei le ond doedd y babi ddim am ddod allan er gwaetha fy ymdrechion caled ac arwrol, os ga i ddweud. Ro'n i wedi gwthio am dair awr solat – dyna'r limit cyfreithlon yn y wlad yma!

A finnau ar fy mhedwar, dyma fi'n dweud y geiriau, "What about a Cesaerean?!" Doedd neb arall wedi cynnig hyn. Pam?! Erbyn i fi orwedd i lawr roedd pen a phapur yn fy llaw a gofynnwyd i fi arwyddo i ddweud fy mod i'n hapus i fynd i'r theatr. Dwi'n gwybod na ddylech chi arwyddo dim heb ei ddarllen, ond doedd diawl o bwys gen i beth oedd arno fo, doedd DIM opsiwn arall ar ôl! Aeth Gareth gydag un o'r staff i gael gown a mwgwd, ond yn anffodus chafodd o ddim aros. Doedd y cyffuriau ddim yn gweithio bellach, ro'n i wedi cael popeth dan haul erbyn hyn a doedd dim amdani ond fy rhoi i gysgu a gorfodi Gareth i adael yr ystafell. Dyna pam dwi'n casáu *birth plans*! Yr unig beth oedd ar y cynllun oedd bod Gareth efo fi. Mae'n rhaid dysgu bod hyd yn oed y gorchmynion mwya syml ddim yn bosibl yn y broses yma, ac mae'n gwneud yr holl beth yn anoddach a mwy rhwystredig os ydech chi wedi dychmygu bod mewn sefyllfa wahanol.

A hithau'n 21:55 – ac yn dilyn 57 awr o lafur caled a lot fawr o ddrama – roedd y babi wedi cyrraedd. Nid fel ro'n i wedi dychmygu, ond wedi cyrraedd ac yn iach – dyna'r dymuniad mwya oedd gen i. Yn anffodus, chawson ni ddim y foment arbennig yna rydech chi'n gweld mewn ffilmiau, pan mae'r tad yn rhoi'r babi i'r fam yn y fan a'r lle. Roedd y babi efo Gareth mewn coridor yn rhywle, ac ro'n i'n dal yn y theatr, yn aros i bawb orffen gwnïo fy stumog a thwtio popeth arall!

Cyn fy rhoi i gysgu, wnes i holi'r meddygon i addo i fi mai Gareth, ac nid y nhw fyddai'n dweud wrtha i beth oedd rhyw'r babi. Ro'n i eisiau iddo fo gael y job pwysig o gyflwyno'r babi i fi un ffordd neu'r llall. Fy ngorchymyn arall oedd fy mod i'n cael gwlanen i ymolchi fy wyneb cyn i'r babi fy ngweld i, gan nad o'n i eisiau i'r babi fy ngweld i am y tro cynta yn y fath stad a masgara a lot gwaeth ar fy wyneb i. Roedd rhaid i fi edrych yn weddol daclus – twp, achos dydy babis ddim yn gweld llawer yn syth bin fel hyn! Wna i feio'r holl gyffuriau!

BYDWRAIG YN GALW!

Partner geni

"Mae angen i chi feddwl yn ofalus pwy fydd eich partner geni. Y gwirionedd ydy bod ambell ddyn/partner ddim eisiau bod yna go iawn. Os nad yden nhw'n awyddus, mae'n werth ystyried rhywun arall achos mae angen i chi gael y person gorau i helpu ar y pryd. Mae angen trafod hyn a thrafod sut fydd y tad/partner yn teimlo. Mae'n beth mawr i'r ddau ohonoch chi. Yn ôl ymchwil, mae bod yn bresennol yn ystod yr enedigaeth yn gallu effeithio ar eich bywyd rhywiol o hynny ymlaen hefyd. Mae'n gyffredin iawn bod gweld yr enedigaeth yn golygu na fydd y tad/partner eisiau rhyw gyda chi byth eto, felly mae yna effeithiau seicolegol sydd angen eu hystyried.

Ryden ni i gyd yn gwybod bod dynion a merched yn wahanol, ond y ffaith yw bod meddyliau merched yn gallu delio gyda trawma yn llawer gwell na dynion.

Plis peidiwch â phoeni am gael pw yn ystod yr enedigaeth! Mae'n gyffredin iawn ac yn arwydd da bod pen y babi yn hitio'r *pelvic floor*

muscle. Fyddwn ni ddim yn cofio dim am hyn ar ôl i'r babi ddod... ac mae'n debygol na fyddwch chi'n gwybod os fyddwch chi wedi pw neu beidio!

Dynion yn y pwll! Ddynion, plis, os ydech chi'n mynd i mewn i'r pwll geni gyda'r fam, sicrhewch eich bod chi'n gwisgo *trunks* ac nid yn mynd i mewn yn noeth! Mae angen i fydwragedd hoelio'u sylw ar y fam a'r babi heb unrhyw *distractions*!

Torri'r cordyn Trafodwch pwy fydd yn torri'r cordyn. Os ydech chi neu eich partner eisiau gwneud, mae angen inni gael gwybod o flaen llaw.

Y brych Os cewch chi gyfle, mae'n werth i chi edrych ar y brych (*placenta*). Mae'n fawr ac yn gallu helpu'r fam a'r tad i ddeall y broses a'r hyn sydd newydd ddigwydd. Mae rhai yn mynd â'r brych adre, a rhai yn ei fwyta! Mae rhai yn ei anfon i ffwrdd i gael ei sychu a'i droi'n dabledi maeth. Ond mae rhai mamau wedi bod yn sâl ar ôl bwyta'r *placenta* a chymryd y tabledi... Mae angen i chi benderfynu beth hoffech chi ei wneud o flaen llaw." **Julia Taylor**

CWRDD Â'R BABI!

"I fod yn hollol onest, ro'n i wedi blino gormod i werthfawrogi'r foment fawr 'na pan ti'n cwrdd â dy blentyn am y tro cynta! Dyna'r realiti i fi efo bob un o'r tri!" **Elin, 35**

"Roedd gweld y babi am y tro cynta yn brofiad *amazing* ac emosiynol iawn." **Owain, 42**

"Doedd e ddim yn brofiad mor hudolus ag o'n i'n dychmygu! Ro'n i mewn lot o boen a ddim cweit yn gwybod ble o'n i!" **Hawys, 34**

Efallai bod darllen am yr esgor a'r enedigaeth es i drwyddyn nhw yn ddigon i wneud i chi gysgu yn yr ystafell sbâr am weddill eich oes! OND wir i chi, mae'r *cliché* yma'n hollol wir, mae'r cyfan yn mynd yn angof wedi i chi weld eich babi am y tro cynta!

A finnau mewn gwely symudol, yn edrych yn waeth nag o'n i wedi edrych yn fy myw, a Gareth mewn gŵn theatr, cerddodd tuag ata i gyda'r parsel bach bach yma wedi ei lapio mewn siôl wen (nid yr un ddes i gyda fi i'r ysbyty i'r babi wisgo, ond doedd dim ots).

"What is it?" medde fi.

"We've got a daughter," medde fo, a dyma ddechrau crio unwaith eto wrth weld y person bach mwya prydferth, mwya perffaith ro'n i wedi ei weld erioed. Ro'n i mewn cariad llwyr o'r eiliad gynta, do'n i erioed wedi teimlo'r fath beth, fel pe bai ton enfawr o hapusrwydd cynnes wedi cydio ynddа i ac wedi'i lapio o fy amgylch i a'r ferch fach lyfli yma. Wna i fyth anghofio'r foment yna, moment fwya arbennig fy mywyd i. Ro'n i, Heulwen Davies, yn fam, o'r diwedd – ro'n i'n aelod o'r clwb breintiedig, a Gareth yn dad!

ENW

"Mae'r broses o enwi babi yn fy atgoffa i o'r ffws a ffwdan oedd yna pan oedd angen ailenwi Stadiwm y Mileniwm! Roedd gan bawb eu barn, pwysau i ddewis enw Cymraeg ac enw hawdd i'w ynganu. Fe ddewison ni enw Ffrengig!" **Dad Caerdydd**

Mae penderfynu ar enw ar gyfer eich plentyn yn dipyn o gyfrifoldeb, ac un sy'n gallu achosi sawl dadl! Ro'n i ychydig yn *obsessed* efo'r holl beth ers y sgan 12 wythnos! Wrth yrru ar y ffordd i'r gwaith ro'n i'n esgus bod y babi yng nghefn y car, ac ro'n i'n cael sgwrs ddychmygol gyda'r babi ac yn treialu'r enwau gwahanol! Ro'n i hefyd yn dychmygu'r sefyllfa mewn syrjeri doctor pan mae'r ysgrifenyddes yn galw enw'r claf nesa dros y tanoi. (Dwi'n siŵr nad fi yw'r unig fam sydd wedi gwneud y pethau 'ma?!)

Roedd gen i a Gareth *criteria* syml ar gyfer yr enw:

1. Enw Cymraeg.
2. Enw hawdd i'w ddweud oherwydd bod nifer o'r teulu'n ddi-Gymraeg.
3. Enw fyddai ddim yn codi cywilydd ar y babi mewn blynyddoedd i ddod.

Mae yna lyfr am enwau Cymraeg i blant ar gael, ond wedi darllen rhai o'r awgrymiadau, gan gynnwys Gwylan (ymddiheuriadau os ydech chi wedi dewis hwn.) Ro'n i'n amau na fyddai'r llyfr yma'n llawer o help i ni!

Ffactor arall wrth gwrs yw'r enw canol. Os ydech chi eisiau enw canol, mae'n syniad da bod y ddau enw'n mynd gyda'i gilydd. Roedden ni eisoes wedi dewis Dyfi fel enw canol, oherwydd fy mod i wedi fy magu ym Mro Ddyfi a Gareth yn Aberdyfi, a'r Dyfi yw enw'r dafarn lle wnaethon ni gwrdd.

Un peth arall gydag enwau Cymraeg yw bod yna lai ohonyn nhw, ac rydech chi'n dueddol o adnabod rhywun gyda'r enw yna, ac efallai ddim yn hoffi'r person hwnnw! Mmmm, mae'n dasg anodd ac yn gyfrifoldeb mawr!

Wnes i a Gareth restr o enwau merched a bechgyn. Roedd gyda ni sawl enw ar gyfer merch – Gareth yn hoffi Cadi a Seren, a finnau'n hoffi Elsi a Heti – ond dim ond un enw bachgen ro'n ni'n gallu cytuno arno, sef Morgan. Yn rhyfedd iawn, ystyr yr enw ydy rhywun sy'n cael ei eni ger y môr. Bu bron i hynny ddigwydd, yn do?!

Mae rhai'n dweud y byddwch chi'n gwybod beth i alw'r babi yn syth ar ôl ei weld, fel ddigwyddodd i fi. Roedd Dad yn dal fi yn yr ysbyty, a'r haul yn gwenu arnon ni trwy'r ffenest, ac fe benderfynodd mai Heulwen fyddai fy enw i. Diolch byth nad oedd hi'n glawio neu'n bwrw cenllysg, yndê!

Does dim angen panicio na rhuthro wrth enwi'r babi wrth gwrs. Mae gyda chi hyd at chwe wythnos i feddwl am enw a chofrestru'r enw. Ond ar yr un pryd mae hyn yn gallu achosi problemau, gorfeddwl, cweryla a phwysau gan weddill y teulu i benderfynu oherwydd mae pawb eisiau anfon cerdyn, anrhegion wedi'u personoli ac ati! Bu bron i gyfnither Gareth gael ysgariad wedi iddi newid enw'r babi ar y funud ola a dewis yr enw Tinsel. Ond erbyn hyn mae pawb yn gwirioni ar yr enw!

Wrth ddal y bwndel bach yn y coridor, wnes i ddweud yn syth mai Elsi neu Heti fyddai'r enw. Doedd Gareth ddim yn mynd i ddadlau ar ôl yr holl waith ro'n i wedi ei wneud i gael y babi yma! Elsi oedd ei ffefryn (oherwydd Heti ydy enw'r hwfyr sydd gyda ni – nid bod o'n gyfarwydd iawn â Heti!). Felly dyna ni – Elsi Dyfi Davies! Dim dadlau ac wedi'i henwi o fewn 5 munud i fi gwrdd â hi!

TA-TA, DAD

Na, do'n i ddim wedi rhoi cic owt i Gareth! I'r gwrthwyneb yn llwyr. Cafodd ei orfodi i adael yr ysbyty o fewn pum munud inni gyrraedd y ward gan ei bod hi'n hwyr yn y nos a bod mamau eraill ar y ward. Ro'n i mor ddigalon am hyn. Ro'n i'n dychmygu y bydden ni'n cael amser i 'fondio', y tri ohonan ni. Ond dyna'r realiti – mae gan y meddygon a'r staff eu rheolau.

"Fel tad, o'n i'n siomedig iawn bod yn rhaid i fi adael y ward yn syth ar ôl i'r wraig roi geni i'r mab cynta. Ro'n i eisiau bod efo nhw. Ro'n i'n teimlo'n reit emosiynol am yr holl beth ar ôl aros am amser mor hir iddo gyrraedd." **Dafydd, 45**

BYDWRAIG YN GALW!

"Ddynion, os ydech chi'n cael aros i mewn yn y ward gyda'r fam dros nos, peidiwch â cherdded o gwmpas y lle mewn *boxers*! Nid ward mamolaeth yw'r lle i arddangos eich *six pack*!" **Julia Taylor**

AR BEN FY HUN

"O'n i jyst yn syllu ar y babi bach 'ma ac yn teimlo'n anhygoel. O'n i methu credu fy mod i wedi creu rhywbeth mor berffaith. O'n i mor hapus ag y gallwn i fod!" **Siân, 36**

"Wnes i sylweddoli'n syth bod fy mywyd i wedi newid am byth ac ro'n i'n synnu faint o'n i'n caru'r babi bach newydd 'ma yn syth bin." **Hawys, 34**

Ro'n i'n gorwedd yn y gwely ac ar ben fy hun gydag Elsi, fy mabi perffaith. Roedd hi'n gorwedd yno yn y cot plastig wrth fy ymyl, yn ymestyn ei chorff bach oedd wedi cyrlio tu mewn i fy mol am dros naw mis. Teimlad braf, mae'n siŵr. Y bysedd bach bach a'r traed mwya ciwt i fi eu gweld erioed a het wedi'i gwau gan fy Anti Mabel ar ei phen bach gorjys! Roedd hi mor lyfli, mor dlws, mor berffaith, a fi oedd bia hi – wel, fi a Gareth! Ro'n i wedi ymlacio'n llwyr, yn teimlo'n hapusach nag erioed. Dyma'r peth gorau i fi ei gyflawni a'i chael erioed. Ro'n i wrth fy modd ac yn teimlo'n hapus a hyderus, er gwaetha'r ffaith nad oedd modd i fi godi'n hawdd i fod wrth ei hymyl hi oherwydd bod rhan waelod fy nghorff yn dal i gysgu dan yr anaesthetig. 'Nes i ddim sylwi bod catheter gyda fi nes i'r nyrs ddod i newid y bag yn y nos! *Bizarre*!

Ro'n i fod i fynd i gysgu, i ymlacio ar ôl yr ornest ro'n i wedi bod trwyddi, ond ro'n i mor ofnadwy o hapus, ac ro'n i wedi bod yn aros mor hir i weld y babi bach yma, y peth ola ro'n i eisiau oedd cau fy llygaid! Fues i'n syllu arni am oriau, ac yn y pen draw, aeth y nyrs i estyn Elsi a dod â hi ata i. Roedd hi'n gwybod na fyddwn i'n mynd i gysgu y noson honno. Roedd y boen a'r ddrama wedi dod i ben, ro'n i yn y lle hapusa erioed gyda fy merch fach i – nefoedd!

BWYDO

"Roedd bwydo o'r fron yn syndod o anodd i fi, ac o'n i ddim wedi disgwyl hynny. Dwi'n falch fy mod i wedi dyfalbarhau achos mae'n deimlad sbesial." **Rhiannon, 36**

"Wnes i fwynhau bwydo o'r fron, llawer llai o ffws na photel." **Mair, 58**

"Wnes i drio 'ngore i fwydo o'r fron am y saith diwrnod cynta, ond roedd o'n boenus iawn a do'n i ddim digon *relaxed* am y peth – potel amdani ac roedd hyn yn haws achos roedd y gŵr yn gallu helpu." **Heulwen, 55**

"Mae fy ngwraig wedi troi'n barlwr godro dynol. Mae ein merch yn fampir llaeth rheibus!" **Dad Caerdydd**

Does dim pwynt esgus nad oes pwysau ar famau i fwydo o'r fron heddiw. Mae yna bwysau aruthrol o'r cychwyn cynta, a dydy o ddim yn dod yn naturiol i bawb. Y peth pwysig ydy bod y babi'n cael llaeth un ffordd neu'r llall, yndê?

Ro'n i'n gorwedd mewn ward efo tair mam arall. Oherwydd fy mod i yn y theatr, Gareth wnaeth fwydo Elsi am y tro cynta, a hynny gyda llaeth potel, felly na, chafodd hi ddim y colostrum, sef y maeth cynta gen i. Ond hyd y gwela i, dydy hi'n ddim gwaeth.

Ro'n i'n barod i drio bwydo o'r fron. Ro'n i'n dallt y buddion ac yn awyddus i wneud, ond ar yr un pryd, do'n i ddim am roi pwysau arnaf i fy hun. Yn ffodus, daeth y bwydo yn naturiol i ni, wel i Elsi, a bod yn onest! Wrth orwedd yna gyda hi ar y noson gynta rhoddais ei phen ger fy mron, ac o fewn eiliadau roedd hi wedi glynu ata i ac roedd hi'n sugno fy llaeth – WAW! Sut oedd hi'n gwybod sut i wneud hynna?! Pan ddaeth y nyrs i mewn a gweld hyn roedd hi'n rhyfeddu bod y cyfan wedi digwydd heb unrhyw gyngor na chymorth. Ond Elsi wnaeth y gwaith, wnes i ddim byd ond gorwedd yna a rhyfeddu ati hi. Roedd fy merch yn *genius*!

Roedd y teimlad ei hun yn rhyfedd hefyd. Roedd fy mronnau'n llawn llaeth, yn enfawr a chaled, ac wrth i Elsi sugno roedd yn union fel pe bai'n agor tap a'r straen yn diflannu! Roedd o'n mynd yn fwy poenus wrth iddi orffen bwydo. Roedd fy nipls yn brifo ac yn ymdebygu i liw grawnwin coch. Roedd yn brofiad rhyfedd wrth i'r fron ail-lenwi gyda'r llaeth hefyd. Mae'r holl beth yn wyrthiol.

Doedd hi ddim yn brofiad cystal i un o'r mamau eraill yn y ward. Roedd ei babi'n gwrthod bwydo, ac roedd y fam yn torri ei chalon. Roedd hi mor *stressed* nes ei bod hi'n crio trwy'r nos ac yn mynnu ei bod hi'n fam wael ac yn fethiant. Pan ddaeth y tad i mewn fore trannoeth a'i chysuro hi, roedd hi'n dweud ei bod hi'n teimlo'n isel iawn am y peth. Ro'n i eisiau codi i roi cwtsh iddi, dweud wrthi bod popeth yn iawn a'i bod hi ddim yn fethiant, achos ges i ddim llaeth y fron pan ro'n i'n fabi. Ond ro'n i'n methu codi o'r gwely.

Yn ffodus, cafodd gynnig gwasanaeth cwnsela, ac roedd hyn fel petai wedi helpu. Yn fy marn i, mae'n wael bod gymaint o bwysau ar famau i fwydo o'r fron. Nid pawb sydd yn gallu ac nid pawb sydd eisiau, a na, dydy o ddim yn hawdd bod yn beiriant bwyd trwy'r amser.

BYDWRAIG YN GALW!

"Dewch i adnabod eich bronnau cyn i'r babi gyrraedd. Astudiwch eu siâp a lleoliad y nipls er mwyn ceisio gweld beth fydd y safle mwyaf cyfforddus ichi fwydo'r babi. Fel bydwraig a mam dwi'n gwybod nad ydy hi bob amser yn hawdd. Os ydech chi'n methu bronfwydo ac eisiau i'r babi gael eich llaeth chi, mae gwahanol ffyrdd o roi'r llaeth i'r babi, wrth ddysgu sut i bwmpio'r llaeth o'r fron a'i roi i'r babi mewn syrinj neu gwpan, mae'n werth trio. Mae bronfwydo hefyd yn arbed £40 y mis."

Julia Taylor

CAWOD

Dwi'n cofio Emma, un o fy ffrindiau pennaf, yn dweud wrtha i mai'r bath ar ddiwedd y geni oedd ei hoff beth hi, ar ôl geni dau o blant. Olew lafant a distawrwydd llwyr. Os ydech chi'n cael Caesarean fel fi, does dim modd cael bath, ac mae'r gawod yn brofiad y byddwch chi'n debygol o'i gofio am byth. Ond nid oherwydd ei fod o'n brofiad pleserus!

Y cam cynta oedd fy nghodi oddi ar y gwely a'm rhoi i mewn cadair olwyn i fynd i lawr y coridor i'r gawod. Roedd rhan waelod fy nghorff yn dal i gysgu, felly ro'n i'n methu sefyll a cherdded – ac roedd y bag pi-pi yn dal yn sownd yndda i!

Nesa, cael fy ngwthio mewn i'r gawod yn y gadair olwyn ac yna – y darn gwaetha – nyrs yn fy ngolchi i! Roedd y nyrs yn lyfli ond ro'n i'n teimlo cywilydd – ro'n i yn y siâp gwaetha erioed, a gwaed a gwaeth yn dal i fod ar ddarnau o 'nghorff a'r dresing

’ma dros fy mol a’r bag pi-pi yn hongian wrth fy ymyl! Beth oedd yn waeth oedd ei bod hi’n adnabod fy nheulu ac yn siarad am fy nheulu wrth fy ngolchi i! Dydy *awkward* ddim yn dod yn agos ati!

Er gwaetha’r profiad erchyll, ro’n i’n teimlo fel person newydd ar ôl y gawod a golchi fy ngwallt, a wnes i hyd yn oed roi colur ymlaen cyn i’r teulu a ffrindiau gyrraedd! Ar y nodyn yna, sut ddiawl mae Kate Middleton yn llwyddo i gerdded allan o ysbyty, gan edrych yn berffaith ac yn *chilled* o fewn ychydig oriau i roi genedigaeth?!

CEWYNNAU

Yn ystod y dosbarthiadau cyn-geni, gawson ni wersi rhoi cewyn ar ddoli, ond dydy hi ddim mor syml â hynna gyda babi go iawn! Mae babanod yn symud... lot! Wnes i holi ambell ffrind os oedd modd i fi newid cewyn eu babi nhw cyn i’n babi ni gyrraedd. Roedd hynny’n llawer mwy o help a phan roedd gofyn i fi newid y cewyn bach bach yn yr ysbyty, roedd yn ddigon hawdd. Y peth anodda yw delio gyda’r trugareddau brown, gwyrdd a melyn sy’n aros amdanoch chi yn y cewyn... yn enwedig y rhai cynta! Mae yna flynyddoedd o gewynnau ac astudio pw o’ch blaenau chi, cofiwch!

BYDWRAIG YN GALW!

“Mae oes y *terry nappies* a berwi napis budur wedi diflannu, diolch byth, ond fe allwch chi brynu rhai *disposable* neu ddefnyddio rhai sy’n cael eu hailgylchu. Dwi’n cofio mynd i ‘alternative study day’, ac un fam yn edrych arna i fel petawn i’n ddarn o faw am nad oeddwn i’n defnyddio napis ailgylchu! Mae yna elfen o snobyddiaeth yn perthyn i rai mamau ac mae'n bwysig i gefnogi ac nid i farnu ein gilydd. Mae rhywbeth sy'n gweithio ac yn hawdd i un ddim bob amser yn gweithio i rywun arall." **Julia Taylor**

CYHOEDDI'R NEWYDDION

"Roedd ffonio fy rhieni i ddweud fy mod i wedi cael babi yn brofiad wna i gofio am byth." **Hawys, 34**

Yn yr un modd â chyhoeddi'r newyddion am y beichiogrwydd, mae'r busnes yma o gyhoeddi'r enedigaeth yn beth mawr y dyddie yma! Yn amlwg, wnes i ffonio Mam a Dad – oedd wedi bod yn gyrru rownd Aberystwyth am oriau yn aros am y newyddion, ac ychydig yn ddigalon bod dim modd iddyn nhw ddod draw yn syth oherwydd ei bod hi mor hwyr yn y nos. Wedi dod yn fam, ro'n i'n gallu dychmygu pa mor streslyd fyddai'r sefyllfa yma i Mam a Dad! Wnaeth Gareth ffonio ei fam, a'n brodyr ni hefyd, ac o ran fy ffrindiau pennaf, wnes i yrru neges destun i grŵp o ffrindiau:

Wedi cael merch fach, mae'n berffaith – Elfi Dyfi, 8 pwys!

Wps – Elfi, nid Elsi! Y peth rhyfedd oedd bod fy ffrindiau'n meddwl bod hyn yn enw go iawn! Beth mae hynny'n ei ddweud amdana i, dwch?!

Wnaethon ni roi'r newyddion ar Facebook wedyn er mwyn cyhoeddi i'r teulu estynedig a ffrindiau. Mae Facebook yn gwneud y broses yn hawdd, ond eto, os fydda i'n nain ryw ddydd, dwi eisiau galwad ffôn plis, Elsi!

YMWELIADAU

Mae'n gyffrous ac emosiynol iawn pan ddaw'r teulu a ffrindiau i gwrdd â'r babi yn yr ysbyty. Yn anffodus i'r ysbyty, penderfynodd llond bws o ymwelwyr ddod i gwrdd ag Elsi! Roedd y lle yn fôr o binc – balŵns, cardiau ac anrhegion di-ri. Mae'r cyfan yn sioc, hyd yn oed i fam sy'n caru pinc!

TIP!: Mae'n well peidio gadael i ormod o bobl ddod ar unwaith. Cafodd fy nheulu a ffrindiau rybudd i gadw'r sŵn i lawr! Wps!

HELÔ, POEN

"Mae'n cymryd lot o amser i wella ar ôl rhai genedigaethau, yn enwedig pan rydech chi'n cael C Section ac yn geni efeilliaid! Mae'n rhaid i chi wrando ar y cyngor ac ymlacio neu fe allwch chi gymryd yn hirach fyth i wella." **Jessica, 34**

"Ges i C Section ond ro'n i'n gwrthod gwrando ar gyngor y fydwraig a'r doctor ac yn methu'n lân ag ymlacio a pheidio gyrru ac ati am 6 wythnos. Mae hynny'n hollol yn erbyn natur gwraig fferm. Yn anffodus, dwi'n dal i gael poenau yn fy mol i heddiw, saith mlynedd yn ddiweddarach. Gwrandewch ar yr arbenigwyr, ferched!" **Enid, 39**

O ganlyniad i'r C Section, roedd rhaid i fi aros yn yr ysbyty am bump diwrnod. Roedd Gareth yn dod â dillad a bwyd (rholiau bacwn ffres) i fi yn ôl y gofyn – mwy o fwyd na dillad. Ro'n i'n llwgu ar ôl defnyddio'r holl egni yna i roi geni, ac oherwydd bod Elsi'n bwydo mor aml! Dwi'm yn cofio pryd wnaethon nhw gael gwared o'r bag pi-pi, ond os byddwch chi'n cael un, mae'n rhaid i fi esbonio bod y broses o fynd i'r tŷ bach wedyn yn hunllefus o boenus – y peth mwya poenus i gyd a bod yn onest. Ac nid dim ond y pi-pi, ond y broses o sefyll a cherdded tra bod eich bol chi'n llosgi, yn tynnu ac yn crynu mewn poen. Awwwww go iawn. O'n i'n meddwl fy mod i'n mynd i lewygu gyda'r holl boen. Sori, ond mae'n rhaid i fi fod yn onest!

GADAEL YR YSBYTY

Pan mae'r amser yn dod i adael yr ysbyty, mae'n siŵr y byddwch chi'n teimlo cymysgedd o gyffro, rhyddhad a nerfau! Cyffrous am gael mynd â'r babi adre i'r cartef teuluol, rhyddhad eich bod chi a'r babi'n iach ac yn ddiogel i fynd adre, a nerfus am fod ar ben eich hun, heb yr arbenigwyr.

TIP!: Cyn gadael, mae angen i chi sicrhau bod sedd car gyda chi, bod y staff yn eich gweld chi'n rhoi'r babi yn sedd y car, ac yna'n eich gwylio chi'n rhoi'r sedd yn y car. Chewch chi ddim mynd â'r babi adre o rai ysbytai heb fynd trwy'r broses yma.

Cofiwch hefyd fod gynnoch chi fwy o bethau i fynd adre nag oedd gynnoch chi pan oeddech chi'n cyrraedd – nid dim ond y babi, ond yr anrhegion, cardiau, balŵns ac ati ac unrhyw waith papur swyddogol gan yr ysbyty ar gyfer eich ymwelydd iechyd. Bydd angen cymorth arnoch chi, ac os ydech chi wedi cael C Section, chewch chi ddim gyrru am 6 wythnos.

ADRE

"Does neb yn eich paratoi chi i fynd â'r babi adre. Mae'r dosbarthiadau a'r arbenigwyr yn help mawr wrth oroesi beichiogrwydd a'r enedigaeth ond does neb yn sôn am fywyd wedi'r geni. Y tip gorau galla i roi yw i ddilyn eich greddf a peidio bod ofn gofyn am help." **Llinos, 31**

Mae cerdded/cropian i mewn i'r tŷ gyda'r babi am y tro cynta yn deimlad rhyfedd. O'r eiliad honno mae'r realiti'n taro ac rydech chi'n sylweddoli bod bywyd wedi newid am byth! Mae'r tŷ bellach yn gartre teuluol, ac mae 'na lot fawr o geriach newydd yn glanio o'r diwrnod hwnnw ymlaen! LOT!

Ar y dechrau, ro'n i'n methu ymlacio'n llwyr. Ro'n i'n gorfod edrych ar Elsi bob munud, neu bob yn ail funud o leiaf. Ro'n i'n ei gweld hi'n rhyfedd gorfod mynd allan o'r ystafell a'i gadael hi ar ei phen ei hun pan o'n i'n mynd i'r tŷ bach (oedd yn dal yn eithriadol o boenus) neu'n mynd i wneud paned. Mae hyn yn naturiol, ac mae'n dod yn haws yn sydyn iawn oherwydd mae bywyd yn gorfod mynd yn ei flaen!

RWTÎN

"Mae'n bwysig cofio nad ydy'r babi wedi darllen y llyfr am beth ddylai wneud a phryd! Cymerwch un dydd ar y tro!" **Lyn**

"Peidiwch â phoeni am rwtîns pobl eraill. Dyma eich bywyd CHI. Mae babis yn tyfu mor sydyn felly rhowch amser i addasu, ymlaciwch a mwynhewch. Fyddwch chi byth yn difaru bod yn gariadus, yn garedig a gofalus a mwynhau'r cyfnod yma, ond mi fyddwch chi'n difaru rhuthro a stresio a phoeni am bethau bach achos bod chi wedi dilyn cyngor a rwtîns sy'n gweithio i bobl eraill." **Bridget, 41**

"Dilynwch eich greddf yn y cyfnod cynnar yma a chofiwch mai cyfnod yw popeth." **Rhiannon, 35**

Mae pawb yn eich cynghori chi i sefydlu rhyw fath o rwtîn yn syth – cysgu pan mae'r babi'n cysgu, bwydo am gyfnod hir yn hytrach nag ychydig bach yn aml, peidio gadael iddyn nhw fod yn sedd y car yn y tŷ neu bydd gan y babi gefn crwm, rhoi bath dyddiol i'r babi ayyb. OND anghofiwch hyn! Mae'r cyngor yn ddi-ben-draw a phawb â'i syniadau a'i brofiadau, ond y cyngor gorau ydy, gwnewch beth sy'n gweithio i chi!

Roedd Elsi'n gwrthod gorwedd yn y crud. Wnaethon ni drio a thrio, a menthyg sawl un gwahanol, ond roedd hi'n methu setlo. Yr unig le fyddai'n setlo oedd yn fy mreichiau i neu yn sedd y car – roedd hi un ai'n cysgu gyda fi yn y gadair neu'r gwely neu yn sedd y car gerllaw ein gwely ni. Neu, os oedd y rhain i gyd yn methu, byddai Gareth yn gyrru o amgylch canolbarth Cymru am oriau yn ei setlo hi, yn enwedig yn y nos fel bod Mam yn gallu cael rhywfaint o gwsg a brêc! Hollol yn erbyn y rheolau a'r cyngor – ond dyna oedd yn gweithio i ni.

O ran y bwydo, er fy mod i'n trio fy ngore i'w bwydo hi am gyfnod hir, doedd Elsi ddim yn cael ei bodloni. Roedd hi eisiau bwyd o hyd, oedd yn golygu nad oedd modd i fi gael brêc, ac roedd hyn yn flinedig, yn boenus ac yn anodd.

Dydy hyn ddim yn para am byth!

BYDWRAIG YN GALW!

"*Feed on demand*! Dyna'r cyngor ryden ni'n ei roi i famau rŵan. Os ydy'r babi eisiau bwyd, rhowch fwyd i'r babi." **Julia Taylor**

CWSG – COFIO HWNNW?!

"Mae cael babi newydd yn y tŷ yn teimlo fel bod bom wedi glanio. Mae hynny'n normal ond mae'r diffyg cwsg yn gallu gwneud popeth yn fwy heriol!" **Rhiannon, 36**

Un o'r pethau mwya anodd i ni, ac i nifer o rieni newydd dwi'n adnabod, ydy'r diffyg cwsg.

Yn ffodus, neu'n anffodus, do'n i erioed wedi arfer efo'r wyth awr o gwsg mae'r arbenigwyr yn argymell i bawb – tua chwe awr o gwsg a dwi'n barod am unrhyw beth!

Ond mae nosweithiau, wythnosau, misoedd a (*wait for it*) blynyddoedd heb gwsg i rai, yn her go iawn!

Mae diffyg cwsg yn gwneud popeth yn anodd, yn dydy? Canolbwyntio, cofio, gwenu ac unrhyw beth ymarferol fel codi a gwisgo, a phan mae dau riant yn mynd trwy hyn ar yr un pryd, mae'n amhosibl peidio dadlau! Cweryla, gwylltio, tantryms a chwestiynu pam ddiawl wnes i briodi ti, heb sôn am gael dy blentyn di?! Ac oes, mae gyda chi blentyn i ofalu amdano hefyd! OMG!

Mae'r sefyllfa yna'n anoddach i famau, (yn amlwg!) yn enwedig os ydech chi'n bwydo, oherwydd hyd yn oed os oes help gerllaw, mae'n rhaid i chi fod wrth law i fwydo yn ôl yr angen. Ffactor arall yw'r boen wrth gwrs. Mae'n anodd bod yn gyfforddus a gallu cysgu'n dda. Dyn a ŵyr sut byddai tadau'n delio gyda hyn i gyd!

Y peth yw, eto, mae hyn yn hollol normal, yn enwedig yn yr wythnosau cynta, ond fe ddewch chi drosto a pheidiwch bod ofn gofyn am help. Mae pawb angen help, ac os oes gyda chi bartner, peidiwch â lladd arno yn y cyfamser!

BYDWRAIG YN GALW!

"Dynion!/Partneriaid! Mae angen cefnogi'r fam yn fwy nag erioed ar ôl i'r babi gyrraedd. Mae'r ddau ohonoch chi'n wynebu newid mawr, ond cofiwch bod y fam yn wynebu newidiadau corfforol a meddyliol hefyd. Mae angen canmol a dweud pethau caredig. Y peth gorau allwch chi ei ddweud wrth y fam yw ei bod hi'n fam dda. Ac mae hynny'n wir wrth i'r plant dyfu'n hŷn hefyd!" **Julia Taylor**

YMWELWYR

Mae'r tŷ fel tip, rydech chi'n stryglo i gofio eich enw ac mae'r babi bach perffaith yma angen eich sylw yn ddi-ben-draw – ac yna mae'r ymwelwyr yn glanio, yn eu cannoedd!

Mae'n braf cael ymwelwyr, wrth gwrs, ac maen nhw mor gyffrous i gwrdd â'r babi, sy'n lyfli, ond mae angen i chi gael llonydd hefyd. Mae'n bwysig i chi gael amser i fondio, i arfer, i ddod dros y boen, felly byddwch yn fwy strict na fi! Dwi'n cofio eistedd ar lawr y lolfa yn yr wythnos gynta mewn poen aruthrol ac wedi llwyr ymlâdd, ac roedd y lolfa yn llawn. Roedd tua 12 o ymwelwyr gyda ni a mwy ar y ffordd ac ro'n i eisiau dringo i fyny'r grisiau i guddio gydag Elsi! (Ond ro'n i'n methu dringo'r grisiau heb sôn am ei chario hi oherwydd y boen!)

ANRHEGION

Gyda'r ymwelwyr a'r postman, mae'r anrhegion yn cyrraedd. Hyd heddiw, dwi'n dal yn rhyfeddu pa mor garedig a hael mae teulu, ffrindiau, cymdogion a dieithriaid ar ôl i chi gael babi.

Ro'n i wedi gwirioni ar y môr o binc ar hyd a lled y tŷ, ac ro'n i mor falch ein bod ni heb brynu unrhyw beth heblaw am y dillad cysgu a'r mat newid cyn i'r babi gyrraedd, oherwydd roedd popeth, a mwy, wedi glanio o fewn pythefnos! O ddillad i dedis, o lyfrau i ddillad gwely, o bres a *vouchers* i deganau a theclynnau ac offer nad o'n i'n gwybod beth oedden nhw hyd yn oed – fel y Bumbo a'r Gro Egg! Byddwch chi angen adeiladu estyniad!

YMWELWYR IECHYD

Ar ôl sicrhau bod popeth yn iawn, mae'r ymweliadau gan y bydwragedd yn dod i ben. Peidiwch panicio. Mae'r ymwelwyr iechyd yn dod draw i'r tŷ yn rheolaidd wedyn am gyfnod. Maen nhw'n pwyso a mesur y babi, yn helpu gydag unrhyw broblemau bwydo ac ati a hefyd yn sicrhau eich bod chi'n ocê! Ydech, rydech chi dal yn bwysig ac mae angen asesu'r corff a'r meddwl.

DAIL BRESYCH

Dwi heb gwrdd ag unrhyw fam sy'n bwydo o'r fron ac sydd heb deimlo'r boen yna sy'n dod â dŵr i'r llygaid ar rai adegau. Un funud mae'r cyfan yn iawn, yn ddigon cyfforddus nes eich bod chi'n cerdded o amgylch y tŷ yn dystio (ha-ha!) gydag un fraich, ac yn bwydo gyda'r llall.

Y funud nesa rydech chi'n gwingo mewn poen. Yn erfyn ar rywbeth i gnoi yn lle bod y cymdogion yn meddwl bod y gŵr yn trio'ch lladd chi a chithau'n sgrechian am help! Roedd cnoi gwlanen yn help wrth i Elsi sugno a sugno a sugno, ond wedyn, ar ôl iddi orffen ei bwyd, yr hyn oedd yn gweithio i fi oedd dail bresych. Wir i chi! Roedd Gareth ar *cabbage alert* ac yn rhedeg i nôl y bresych yn syth ar ôl i fi orffen bwydo Elsi!

Wnes i ddarllen sawl peth am ddail bresych pan ro'n i'n feichiog, a meddwl mai rhyw hen chwedl oedd hi, neu jôc. Ond wir i chi, fyswn i wedi talu ffortiwn am fresych ambell ddiwrnod, oherwydd roedden nhw'n gysur mawr i'r bronnau poenus a thyner!

Mae'r dail yn lleihau'r chwyddo ac mae'r dail bresych yn amsugno rhywfaint o'r hylif o'r glands o amgylch y frest, sy'n gwneud y cyfan yn llai llawn a llai tyner.

Yn ôl www.mynursingcoach.com dail bresych gwyn sydd eu hangen, rhai oer sydd wedi bod yn yr oergell neu'r rhewgell.

Ar ôl bwydo'r babi, rhowch y dail ar eich bronnau fesul un, nes bod y ddwy frest wedi'u gorchuddio. Gwisgwch eich bra dros y dail a gadael nhw yno nes bod y boen wedi lleihau/diflannu.

Swnio'n rhyfedd ond roedd o'n help mawr i fi... er dwi'n cofio darganfod dail bresych yn y gwely, lawr ochr y soffa ac mewn sawl man arall na ddylai dail bresych fod, am sbelen wedyn!

Yn amlwg, mae yna sawl dull arall ac *ointments* gwahanol, ond y bresych oedd yn gweithio orau i fi bob amser. A bod yn gwbwl onest, petai rhywun wedi dweud wrtha i fod rhwbio baw ci dros fy mronnau'n mynd i helpu, mi fyswn i wedi trio hynny hefyd, achos pan mae'n brifo, mae o *yn* brifo!!

GWAITH TÎM

"Rydw i wedi creu rôl newydd i fi fy hun. Gan nad ydw i'n gallu bwydo'r babi, fi yw'r codwr gwynt!" **Dad Caerdydd**

Rhwng y bresych a dod i arfer efo'r bywyd newydd, rydech chi a'ch partner yn dysgu (cael eich gorfodi) i gydweithio. Gwaith tîm sy'n mynd i sicrhau bod pawb yn hapus ac yn goroesi'r cyfnod yma heb i chi ladd eich gilydd!

"Mae'n rhaid i Mam a Dad weithio fel tîm, bod yn amyneddgar a chefnogi eich gilydd. Mae'n anodd, mae 'na lot o gnoi tafod, ond mae o werth o wrth i chi weld wyneb eich babi bach hapus." **Gareth, 38**

Roedd Gareth yn gweld yr wythnosau a'r misoedd cynta yn rhwsytredig a diflas i raddau, oherwydd doedd dim modd iddo fwydo Elsi a doedd hi ddim yn gwneud unrhyw beth ond bwydo, cysgu a pw ac ambell i symudiad bach arall. Ro'n i'n mwynhau'r holl bethau bach yma.

Ar y dechrau fel hyn, roedd hi'n anodd peidio gwneud popeth fy hun, am fy mod i'n *control freak* fel dwi 'di sôn. Y realiti oedd, oherwydd y C Section, ro'n i'n methu gwneud popeth, ac roedd gan Gareth rôl bwysig ac yn gymorth mawr i fi – cario Elsi, gyrru i'r dref i nôl pethau i ni, rhoi bath iddi a newid ei chlwt ayyb. Mae'n bwysig sicrhau bod y tad neu'r partner yn cael y cyfle i wneud y pethau yma ar ei ben ei hun, er mwyn bondio gyda'r babi. Maen nhw wedi bod yn rhan ohonan ni ers dros naw mis, ac mae angen iddyn nhw gael cyfle/gael eu gorfodi i wneud y pethau 'ma!

TADOLAETH

Yn draddodiadol, y fam sy'n aros adre gyda'r babi a'r tad yn mynd i'r gwaith, ond mae hyn yn newid rŵan wrth gwrs oherwydd bod mwy o gefnogaeth i ddynion sydd eisiau aros adre i fagu eu plant Ac mae hynny'n beth da i famau sydd eisiau dianc/dychwelyd i'r gwaith. Does dim o'i le ar hynny chwaith.

Yn oes ein neiniau, doedd mamau ddim yn gweithio (*those were the days*!), ac yn oes fy mam, roedd nifer yn gweithio'n rhan-amser, neu ddim yn gweithio nes bod y plant yn mynd i'r ysgol. (Eto, *those were the days*!)

Yn ein tŷ ni, roedd y sefyllfa'n wahanol oherwydd roedd fy swydd i wedi dod i ben, felly doedd gen i ddim swydd i ddychwelyd iddi. A rŵan, ar ôl pythefnos sydyn iawn, roedd hi'n bryd i Gareth ddychwelyd i'w waith, yn llawn amser, a gadael fi ac Elsi.

Roedd hi'n rhyfedd ei weld o'n mynd, ac er ei fod o'n teimlo'n euog, dwi'n credu ei fod o'n falch o gael dianc o'r byd pinc yma a siarad am bethau ar wahân i fresych a pw!

Oherwydd y C Section bu Mam acw gyda fi am bythefnos wedyn, ac roedd hi'n gymorth mawr ac yn gwmni, oherwydd do'n i ddim yn cael gyrru ac yn dal yn methu cario Elsi wrth gerdded. Oedd, roedd y bol yn dal i frifo – yn brifo llai, ond yn dal i frifo.

Hyd yn oed os nad ydech chi wedi bod trwy C Section, mae angen cymorth a chefnogaeth wrth law ar ôl i'r tad/partner fynd 'nôl i'r gwaith. Mae'n rhyfedd bod ar eich pen eich hun yn llwyr ar ôl bod dan oruwchwyliaeth a gofal y bydwragedd, y meddygon a'r gŵr. Oes, mae angen arfer bod ar ben eich hun, ond mae'n iawn i ofyn am help.

RHIENI SENGL

Ar y pwynt yma, mae'n rhaid i fi nodi bod gen i barch aruthrol at fy ffrindiau a phawb arall sy'n rhieni sengl. Dwi'n sylweddoli'n llwyr fy mod i'n lwcus iawn i gael partner cryf a chefnogol (heblaw yn ystod yr enedigaeth!) a dwi'n codi fy het i chi. Rydech chi'n arwyr go iawn.

CAEL CAWOD

Mae cael cawod neu fath tra rydech chi ar ben eich hun gyda babi yn gallu bod yn anodd. Dwi'n adnabod sawl rhiant oedd yn hapus i adael y babi lawr staer yn y lolfa tra'u bod nhw'n ymlacio yn y gawod neu'r bath fyny staer. Ro'n i'n methu ymlacio yn y bath na'r gawod os oedd Elsi ar ei phen ei hun mewn ystafell arall. Ro'n i'n panicio bod rhywbeth yn mynd i ddigwydd iddi, felly yr hyn ro'n i'n gweld yn ddefnyddiol oedd gadael *baby bouncer* yn yr ystafell molchi fel bod y babi'n gallu gorwedd yno a gwylio. Roedd Elsi'n mwynhau clywed sŵn y dŵr ac ro'n i'n sgwrsio gyda hi trwy'r gwydr. Rhaid gwneud y pethau yma sy'n atal y pethau bach rhag mynd yn bethau mawr, ac yn rhwystr i chi! Wedi'r cyfan, mae'n rhaid ymolchi!

SGINT

Os nad ydy'r babi ei hun yn ddigon o sioc i'r system, sioc arall ydy'r pres, neu'r diffyg pres pan rydech chi ar gyfnod mamolaeth, os nad ydech chi'n un o'r mamau ffodus yna sy'n gweithio yn rhywle sy'n talu cyflog llawn i chi trwy gydol y cyfnod mamolaeth. (Ro'n i'n diawlio mamau fel chi ar y pryd!)

Gan nad oedd gen i gyflogwr mwyach, ro'n i'n gallu hawlio SMP, sy'n grêt, oherwydd o leia ro'n i'n gallu cael rhywbeth Ac oherwydd fy mod i wedi bod yn talu treth ac yswiriant gwladol trwy fy nghyflogwr blaenorol, ro'n i'n gallu hawlio'r mwyafswm, sef y *grand total* o (tua) £563 y mis! Awtsh! Roedd hyn yn boenus go iawn, £140.75 yr wythnos, tua £300 yr wythnos yn llai na fy nghyflog blaenorol – sut ddiawl o'n i fod i oroesi, a gofalu am Elsi hefyd?

Dwi'n gwybod fy mod i mewn sefyllfa lawer haws na rhai, gan fod gen i ŵr oedd yn gweithio, ond roedd hyn yn ergyd ac yn straen mawr inni. Mae costau byw, hyd yn oed byw ar yr *essentials* yn unig, yn uchel iawn y dyddie yma, ac roedd rhaid i ni addasu'n sydyn.

Wnes i safio gymaint â phosibl dros y naw mis pan o'n i'n feichiog, oherwydd ro'n i'n gwybod bod sefyllfa anodd o'n blaenau, yn enwedig gan nad oedd swydd gen i ddychwelyd iddi. Ond hyd yn oed wedyn, doedd hi ddim yn hawdd. Dydy'r babi ei hun ddim yn costio llawer (ar y dechrau!) yn enwedig os ydech chi'n bwydo. Yr unig beth mae'n rhaid prynu ydy clytiau, roedd modd menthyg popeth arall oedd ei angen, ac roedd y bagiau o ddillad ail law yn cyrraedd yn wythnosol. Yn anffodus mae'r morgej a'r biliau dal angen eu talu.

Mae'n anodd peidio mynd yn genfigennus o ffrindiau sy'n cael yr holl gymorth gan eu rhieni, gan fod eu rhieni wedi ymddeol, yn wahanol i fy rhieni i, neu rai ffrindiau sy'n wragedd fferm gyda gwŷr sy'n eu cefnogi nhw wrth iddyn nhw roi'r gorau i'w swyddi ac aros adre i fagu'r plant. (Dwi'n gwybod eu bod nhw ddim i gyd fel hyn wrth gwrs!!!). Mae'n rhaid cofio bod pawb yn gorfod cyfaddawdu ac addasu eu bywydau mewn rhyw ffordd neu'i gilydd, ac wrth edrych ar Elsi fach yn bictiwr i gyd, roedd hi'n fwy gwerthfawr na'r holl bres yn y byd.

Ro'n i'n sgint, ond yn hapusach ac yn fwy cyfoethog nag erioed o'r blaen, a bod yn onest.

GADAEL Y TŶ

"Mae popeth yn cymryd mwy o amser ar ôl i chi gael plant, ac nid dim ond pan maen nhw'n fabis!" **Owain, 42**

Mae gadael y tŷ gyda'r babi yn dipyn o ymdrech. Os oes gyda chi help, mae'n haws, ond mae'n dal yn dipyn o her! Pam? Wel, oherwydd mae angen mynd â gymaint o stwff efo chi! Bag newid efo cewynnau, dillad sbâr, dillad cynnes, het sbâr, mwslins, mat newid, *creams* amrywiol ac wedyn y pram, blanced, gorchudd gwrth-ddŵr/ parasol neu'r ddau, sedd y car, tedi, llaeth... Does dim y fath beth â tharo allan i nôl peint o laeth (neu botel o Prosecco) mwyach! Mae angen trelar, a chaniatáu digon o amser!

GLANHAU'R TŶ

Ha-ha-haaa! Unwaith mae'r babi'n cyrraedd mae'r arferiad o lanhau'r tŷ yn mynd trwy'r ffenest i'r mwyafrif ohonan ni!

Yn ystod wythnos gynta Elsi yn y tŷ mi benderfynodd hi wneud pw-pw MAWR du (ie, mae'n normal i gael pw du ar y dechre ac mae o'n stici ac yn ddrewllyd) ar hyd y *throw* Melin Tregwynt pinc! Roedd Gareth yn gofalu amdani ar y pryd a phan sylweddololodd beth oedd wedi digwydd, aeth o'n wyn fel y galchen a meddwl ein bod ni'n mynd i gael ysgariad. Cyn i Elsi gyrraedd, hwn oedd un o fy hoff bethau i yn y byd!

Ar ôl magu digon o hyder i ddatgelu'r newyddion i fi, cafodd uffern o sioc pan ddywedais i, "O, mae'n iawn, allwn ni jyst golchi fo."

Mae babis yn rhoi popeth mewn persbectif, ond mi fynnodd Gareth ruthro allan i'r Dry Cleaners yn syth, rhag ofn i fy hormonau gicio mewn!

TIP!: Cofiwch y dywediad Saesneg sy'n nodi ei bod hi'n well cael babi hapus na thŷ glân – hollol gywir! Mae Elsi'n gweld y pryfaid cop fel anifeiliaid anwes erbyn hyn!

ADNABOD MAM A DAD

"Mae gweld wyneb babi bach yn syllu arnoch chi fel pe baech chi y peth mwya pwysig a'r peth gorau yn y byd yn anhygoel." **Emma, 36**

Er bod babis yn fach, mae'n rhyfeddol pa mor glyfar yden nhw a pha mor gyflym maen nhw'n newid ac yn datblygu sgiliau newydd. Mae'n agoriad llygad go iawn. Yn un mis oed, dwi'n cofio sut roedd Elsi, fel nifer o fabanod bach, yn ymddangos fel pe bai hi'n nabod fy llais i a llais Gareth. Roedd hi'n edrych tuag aton ni, yn estyn ei breichiau allan ac fel pe bai'n gwenu bob tro roedd un ohonan ni'n dechrau siarad gyda hi. Mae'n deimlad sbesial!

STUMIAU

Wrth siarad gyda babis bach, mae pob un ohonan ni'n mynd mewn i ryw *mode* gwahanol. Efallai bod gan bawb *setting* babi rhywle! Ryden ni'n tynnu'r stumiau mwya rhyfeddol, popeth yn hollol *exaggerated* a gwallgo, mae'n lleisiau ni'n mynd yn wichlyd ac ryden ni'n gwneud synau a chreu geiriau hollol hurt!

Dwi'n cofio gweld Dad yn gwneud stumiau fel hyn a meddwl sut yn y byd mae Elsi fach yn gallu cael yr effaith yma ar ddyn cryf yn ei 60au cynnar? Ryden ni'n ymdebygu i glown! Pam? Wel, oherwydd bod babanod yn ymateb mwy, yn gwenu mwy ac yn cyfathrebu mwy pan fyddwn ni'n fwy animeiddiedig, ac mae'n werth edrych yn hollol hurt am 30 eiliad os yden ni'n cael gwên fach neu gigl fach gan fabi! Hir oes i'r cwtshi-cŵ a'i debyg!

IYMI MYMIS

Dau fis i mewn i'r swydd orau yn y byd – ie, bod yn fam, onest! – ro'n i'n dechrau meddwl amdana i fy hunan eto. Ydw, dwi'n dal yma! Ydw, dwi'n dal i edrych fel pechod! Oes, mae angen i fi sortio fy hunan allan achos mae Elsi yn gweld mwy a mwy rŵan a na, dwi ddim eisiau iddi feddwl mai Grotbags yw ei mam! (Os nad oeddech chi'n blentyn yr 80au, gwglwch hwn!)

Roedd rhedeg a mynd i'r gampfa allan ohoni achos ro'n i'n bell o fod yn barod am y lycra a'r treinyrs, ond roedd cerdded yn opsiwn da. Roedd cerdded milltir i'r dref efo'r bygi yn ymarfer da ac yn clirio'r pen, ac yn helpu PAWB i gysgu'n well. Haleliwia!

Roedd o hefyd yn ffordd lawer cynt o gyrraedd y dref gan nad oedd angen mynd trwy'r ornest hir o bacio'r car efo'r holl geriach babis. Ro'n i'n bell o fod yn Iymi Mymi – fydda i byth yn un o'r rheiny – ond roedd rhywfaint o ymarfer corff yn helpu wrth geisio colli rhywfaint o'r bol babi ac roedd bod allan yn yr awyr iach yn dda i'r corff a'r enaid.

"Cofiwch bod bywydau'r Iymi Mymis 'ma ar y cyfryngau cymdeithasol ddim bob amser yn portreadu'r realiti. Roedd un fam o'n i'n adnabod yn rhoi lluniau hapus a 'pherffaith' ohoni hi a'r babi ar Facebook bob penwythnos yn y mis cynta. Roedden nhw mewn bwytai a chaffis, yn mynd am dro a hyd yn oed yn mynd i weld gêm rygbi, ond pan welais i hi mewn grŵp Mamau a Phlant roedd hi'n dweud ei bod hi'n hollol *exhausted* gan eu bod nhw'n gwneud gymaint bob penwythnos ac roedd hi'n gorfod aros yn y gwely trwy'r dydd ar y dydd Llun! Mae hyd yn oed y merched sy'n edrych fel elyrch gosgeiddig yn cicio fel ffyliaid gwyllt o dan dŵr!" **Michelle, 32**

BWYDO YN GYHOEDDUS

"O'n i'n teimlo dan bwysau mawr i fwydo o'r fron – roedd o'n boenus iawn ond doedd bwydo yn gyhoeddus ddim yn poeni dim arna i!" **Nia, 42**

Un peth sy'n gyffredin i bob mam, o'r Grotbags i'r Iymi Mymis, yw'r her o fwydo yn gyhoeddus am y tro cynta! Dwi'n cofio'r diwrnod hwnnw yn glir. Ro'n i yng Nghaffi'r Plas ym Machynlleth yn dal i fyny efo'r criw cyn-geni dros baned – ro'n i'n methu fforddio bod yn un o'r *ladies who lunch*, yn anffodus – a dyma Elsi'n cychwyn crio eisiau bwyd.

Mae bwydo adre yn y tŷ yn hawdd – agor y gŵn nos neu tynnu'r top i fyny, bron allan, a ffwrdd â ni. Ond mewn man cyhoeddus, yng nghanol pobol, dynion a ffarmwrs ro'n i'n adnabod, heb sôn am yr holl famau oedd wedi cael eu babis cyn fi, ac wedi meistroli'r grefft yn wych, roedd hi'n dipyn o her!

Ro'n i'n gwisgo ponsho, fel bod modd i fi stwffio Elsi dan hwn heb i neb weld fy mron, ond roedd trio dal Elsi a'i stopio hi sgrechian, agor clip y bra bwydo a thrio anwybyddu pawb o fy amgylch yn sialens! Yn y pen draw dyma fi'n llwyddo, ond dwi'n siŵr i sawl un weld fy mron fwy nag unwaith. Ro'n i'n chwysu chwartiau ac yn goch i gyd, ond roedd Elsi fach yn hapus reit... am y tro! Daeth y profiad yn llawer haws, ac roedd hi wastad yn haws mewn llefydd oedd yn bell o adre!

COLIC

Do'n i erioed wedi clywed am golic cyn i fi gael Elsi. Pan oedd hi'n ifanc iawn ac yn crio lot o bryd i'w gilydd, roedd fel petai pawb yn dweud mai colic oedd o, garantîd! Ro'n i'n meddwl ei bod hi'n normal i fabis grio, ac ydy mae o, ond mae rhai adegau pan maen nhw'n crio LOT a does dim byd yn eu setlo nhw. Pan maen nhw'n dioddef colic, maen nhw'n gallu crio am oriau, fel petaen nhw mewn poen ac yn *stressed*. Do, mi gafodd Elsi hwn, ac oedd, mi roedd o'n ofnadwy.

Ro'n i'n teimlo'n hollol *hopeless*, doedd dim byd ro'n i'n ei wneud yn gweithio, mae'n flinedig, mae'n streslyd ac mae'n dorcalonnus i wylio eich babi fel hyn. Ro'n i eisiau bangio fy mhen yn erbyn y wal a sgrechian ar adegau, neu ddianc i dŷ fy nghymdogion, ond mae'n rhywbeth cyffredin iawn ac mae sawl ffordd o wneud y peth yn fwy cyfforddus i'r babi.

> "Rydw i wedi cael un babi oedd yn dioddef yn wael iawn o'r colic. Rydw i bob amser yn argyhoeddi mamau fod colic yn rhywbeth cyffredin iawn ac nid nhw sydd ar fai am y bwgan yma. Mae colic fel arfer yn dod i ben pan mae'r babi'n 4 i 6 mis oed. Pethau i helpu'r achos yw codi gwynt y babi, bwydo nhw pan maen nhw'n eistedd i fyny, bath cynnes a thylino'r bol. Mae'n gallu bod yn andros o *stressful* a bydd angen cymorth arnoch chi i oroesi'r cyfnod yma, mae'n siŵr. EWCH i weld y meddyg ar bob cyfrif a gallwch chi hefyd ffonio llinell gymorth CRY-sis ar 08451228669." **Dr Laura**

GWYNT/GWENU?!

Mae gweld eich babi yn ymateb mwy a mwy i bethau yn hynod o sbesial, ond ryden ni i gyd yn euog o ymateb yn hollol OTT pan mae'r pethau bach yma'n digwydd! Pan maen nhw'n codi pen neu'n symud braich mewn ffordd newydd, ryden ni'n cymeradwyo'n wyllt ac yn dawnsio rownd yr ystafell fel ffyliaid!

Un o'r pethau mwya lyfli i fi oedd gweld Elsi yn gwenu am y tro cynta. Roedd hi'n ddiwrnod fy mhen-blwydd a'n pen-blwydd priodas ni, a daeth Gareth ag Elsi mewn i'r ystafell wely. (O'n, ro'n i wedi cael *lie-in* bach fel anrheg!) Dyma Elsi'n edrych arna i gyda'r wên fwyaf erioed! Gwên oedd hi ac nid gwynt, ocê, a hyd yn oed pan oedd hi'n cael gwynt, ro'n i'n gwenu! Pan mae rhywun arall yn torri gwynt mae'n afiach, ond pan mae babi'n gwneud hyn, mae'n achos arall i ddathlu! Rhyfedd, yndê!

CYLCH TI A FI

"Fyswn i'n annog pob mam newydd i fynd i wneud ffrindiau gyda rhieni eraill mewn Cylch Ti a Fi neu grwpiau tebyg, oherwydd mae bywyd yn gallu bod yn unig i famau, ac mae cymdeithasu gyda rhieni eraill sy'n mynd trwy'r un profiadau yn eich ardal chi yn help mawr." **Bethan, 36**

Wrth i'r realiti eich taro bod hyn yn rhywbeth am byth, a chithau'n dal i sefydlu rhyw fath o batrwm (ha-ha-ha!) mae cael cysylltiad cyson gyda mamau eraill yn hollbwysig. Ydy, mae'r cyngor gan eich mam chi, eich mam yng nghyfraith, Anti Mabels y byd ac ati yn ddefnyddiol, ond mae angen cyngor a rhannu profiadau gyda mamau a thadau 'heddiw', y rhai sy'n mynd trwy'r un peth â chi yn y byd sydd ohoni ac yn byw yn yr un ardal.

Mae'r Cylchoedd Ti a Fi yn lloches, yn ddihangfa ac yn lot o hwyl. Ro'n i'n mynd i'r Cylch yn Llandre, ac ro'n i eisoes yn adnabod rhai mamau yno, ond ddes i adnabod sawl mam a ffrind newydd hefyd. A beth sy'n braf rŵan ydy bod Elsi'n mynd i'r ysgol gyda nifer o'r plant hynny.

Roedd yr un sesiwn wythnosol yma yn un o uchafbwyntiau fy nghyfnod mamolaeth i gydag Elsi. Roedden ni'n chwarae, yn cwtsho, yn canu ac yn cymysgu gyda rhieni a babis a phlant hŷn. Gan fod Elsi'n unig blentyn, roedd hi wrth ei bodd yn gweld a chlywed y babis eraill. Roedd pawb ar yr un donfedd, ac wrth gerdded trwy'r drws ro'n i'n gyfforddus mewn ystafell o famau a thadau eraill oedd heb gysgu, heb gael amser i frwsio gwallt, a neiniau oedd yn edrych yn llawer mwy ffres ac egnïol na ni, ac yn gwneud paneidiau i ni ac yn dal ein babis fel bod modd inni fwynhau paned tra oedd o'n gynnes (nefoedd!). Mae grwpiau fel hyn yn gymorth mawr.

'NÔL I'R GWAITH

Roedd Elsi'n dri mis a hanner pan wnes i ei gadael hi a mynd i weithio. Ydy, mae hyn yn ofnadwy, yn lot rhy gynnar ac ydw, dwi wedi colli allan, ond doedd dim dewis gen i. Roedd y sefyllfa ariannol yn anodd, a phan ges i alwad ffôn gan fy nghyn-gyflogwr yn rhoi gwybod bod fy hen swydd, yr un ro'n i'n gwneud 4 mis yn ôl, ac yn ei mwynhau, yn cael ei hysbysebu fel swydd barhaol, roedd rhaid ystyried y peth o ddifri. Mewn ardaloedd gwledig mae swyddi fel aur, ond roedd hi'n benderfyniad anodd.

Opsiwn 1 Aros adre efo Elsi, yn mwynhau bob eiliad fel yr oeddwn i. Peidio trio am y swydd, stryglo yn ariannol, croesi bysedd bod swydd o ryw fath yn cael ei hysbysebu yn fuan yn yr ardal hon ac un ro'n i'n mynd i'w mwynhau (annhebygol) neu orfod gwerthu'r tŷ neu fyw mewn pabell.

Opsiwn 2 Ymgeisio am y swydd, dychwelyd i gwmni a chriw o bobol ro'n i'n eu hoffi, gwneud swydd ro'n i wedi'i gwneud eisoes ac yn ei mwynhau heb orfod dechrau o'r newydd, ennill cyflog oedd yn caniatáu i fi fwynhau a pheidio treulio'r nos yn poeni sut ro'n i'n mynd i dalu'r morgej a bwydo Elsi... OND yn gorfod gadael Elsi a hithau mor fach a ffres.

Es i am y cyfweliad, a gorfod gadael Elsi yn y car efo Mam. Ro'n i'n teimlo'n sâl yn meddwl am ei gadael hi pe cawn i'r swydd.

Ges i'r swydd, ro'n i'n teimlo'n euog, ond doedd gen i ddim dewis. Ro'n i'n hapus i werthu'r tŷ, yn hapus i werthu popeth, ond er lles fy nheulu, roedd rhaid i fi fynd 'nôl i'r gwaith rŵan. Ac o'n, mi ro'n i'n sâl, yn chwydu a chrio am ddyddiau oherwydd yr euogrwydd.

Ro'n i eisiau babi ers cyhyd, ro'n i wedi cael un, roedd hi'n berffaith, ond a hithau'n 14 wythnos oed a finnau ond newydd ddod dros y driniaeth, roedd yn rhaid i fi ei gadael hi. Roedd pawb arall yn dal ar gyfnod mamolaeth, yn joio, yn cwtsho a bondio, a finnau mewn swyddfa.

Beth oedd yn waeth oedd bod rhai o'r mamau yma ac aelodau estynedig o'r teulu yn fy marnu i, yn gwneud i fi deimlo'n waeth, yn lle cefnogi. Doedd gen i ddim dewis! Ro'n i'n casáu gorfod esbonio pam o hyd. Ydech chi wir yn meddwl 'mod i eisiau mynd 'nôl i'r gwaith a gadael Elsi? Ydy, mae hi siŵr o fod yn anodd mynd 'nôl i'r gwaith ar ôl blwyddyn o gyfnod mamolaeth (a thâl llawn), ond na, dydy o ddim yr un peth!

Gadael Elsi yn y feithrinfa ar y diwrnod cynta oedd y peth mwya anodd dwi wedi ei wneud yn fy mywyd hyd yma, yn anoddach na rhoi genedigaeth iddi! Hi oedd y babi ieuenga oedd wedi mynychu'r feithrinfa erioed, ac roedd y staff wedi gwirioni ac yn ymladd drosti. Roedden nhw yn mynd i'w sbwylio hi a'i gwarchod hi, ond do'n i ddim yn adnabod y bobol 'ma a fi oedd ei mam hi, ac mae ysgrifennu hwn rŵan yn gwneud i fi feichio crio achos roedd o'n UFFERN ar y ddaear. Ond mae nifer o famau a thadau eraill yn gorfod mynd trwy'r un peth, felly peidiwch â'u barnu nhw chwaith. Plis.

Wrth edrych 'nôl, er gwaetha'r euogrwydd a theimlo'n isel, does dim dwywaith bod y profiad wedi gwneud i fi werthfawrogi bob eiliad gydag Elsi hyd yn oed yn fwy. Dydy hi ddim yn cofio dim am y peth, yn amlwg, ac wrth iddi dyfu'n hŷn, roedd hi'n setlo'n gynt yn yr ysgol ac ati.

Mae'n rhaid gwneud beth sy'n iawn i chi, hyd yn oed os nad yw'n teimlo fel y peth iawn ar y pryd, ac mae mamau eraill yn y clwb yma'n gallu bod yn greulon ac ansensitif weithie, cofiwch!

DYNION

Ryden ni i gyd yn gwybod bod dynion yn frid gwahanol, ond jyst cofiwch un peth – fydden ni ddim yn famau hebddyn nhw! Roedd gweld Gareth gydag Elsi yn gwneud i fi ei garu o hyd yn oed yn fwy. Mae gweld y dyn rydech chi'n ei garu yn gofalu am eich plentyn, ei chario mor dyner a gofalus yn y breichiau cryf blewog, ei chwtsho a'i chusanu a jyst yn syllu arni mewn rhyfeddod, yn rhywbeth deniadol tu hwnt. (Nid bod gen i'r egni i fynd â'r peth ymhellach rhan fwya o'r amser!)

Ond pan ryden ni'n teimlo'n isel am ddychwelyd i'r gwaith, yn teimlo'n emosiynol ac yn euog am bopeth wrth siarad gyda nifer o famau eraill, mae'n amlwg bod nifer o dadau'n fwy *matter of fact* am fynd yn ôl i'r gwaith a ddim yn ddallt pam ein bod ni mor emosiynol a digalon am y peth. Yden, maen nhw wedi blino hefyd. Yden, maen nhw wedi mynd 'nôl i'r gwaith ers sawl mis erbyn hyn (a na, dyden ni ddim jyst yn eistedd adre a'n traed i fyny trwy'r dydd, diolch yn fawr) ac yden, maen nhw'n methu'r babi hefyd, ond dyden nhw jyst ddim yn DALLT go iawn!

Weithiau dwi'n cwestiynu ydy synhwyrau rhai dynion yn diflannu am gyfnod ar ôl i'r babi gyrraedd? Yden nhw jyst ddim yn gweld y fam erbyn hyn? Yn anghofio ein bod ni'n bodoli achos bod y babi yma? Yden nhw ddim yn ein clywed ni'n crio yn y nos? Dwi'n credu ddo i'n ôl i'r byd yma fel dyn un diwrnod achos byddai'n grêt cael profi bywyd rhiant trwy lygaid y dyn. Byddwn i'n ŵr a hanner!

MEITHRINFEYDD

Yn oes fy neiniau doedd dim meithrinfeydd ar gael, a phan o'n i'n fach, doedd Mam ddim yn gorfod gweithio, felly doedd dim angen meithrinfa. Roedd y dynion yn mynd allan i'r gwaith a'r mamau yn magu'r plant. Mae'r mwyafrif ohonan ni'n dibynnu ar feithrinfeydd erbyn hyn, oherwydd mae'n amhosibl i'r mwyafrif o deuluoedd fyw ar gyflog un person ac mae nifer o famau, fel fi, eisiau gyrfa ein hunain (na, does dim angen teimlo'n euog am hyn chwaith!). Yn ogystal, fel nifer, mae fy rhieni i a mam Gareth bellach yn gweithio bob dydd, felly does dim help teulu agos ar gael. Ac os ydech chi'n byw ymhell o'r teulu, does dim opsiwn ond rhoi'r plant mewn meithrinfa neu gael nani.

Pan mae'n dod i ddewis meithrinfa, mae'n beth mawr! Yn draddodiadol yng nghefn gwlad, mae'r plentyn yn mynd i'r feithrinfa agosa at y cartre, ond heddiw, gyda mwy ohonan ni'n teithio i'r gwaith, mae'n gwneud synnwyr bod y plentyn yn mynd i'r feithrinfa sydd agosa at y gweithle, fel bod y babi'n agos at o leia un o'r rhieni.

Ond mae mwy o benderfyniadau i'w gwneud! Ydy hi'n feithrinfa Gymraeg/ Saesneg? Ydy'r feithrinfa ar agor bob dydd? Ydy hi'n cau amser cinio? Yden nhw'n cludo'r plant i'r ysgol pan fyddan nhw'n ddigon hen i fynd? Yden nhw'n bwydo'r plant neu oes rhaid i chi ddarparu bwyd? Ar ben hyn mae'n rhaid ymchwilio beth yw'r adborth i'r feithrinfa a'r staff. Mae pobl yn hapus iawn i rannu eu profiadau. Hefyd, yn anffodus, y cwestiwn mawr – beth yw'r gost? Dydech chi ddim eisiau cyfaddawdu ar y safon a'r gofal ond mae'n rhaid sicrhau eich bod chi'n gallu fforddio'r feithrinfa o'ch dewis chi, yn enwedig os oes mwy nag un plentyn yn mynychu.

Ro'n i'n talu £800 y mis ar gyfartaledd i Elsi fynd i'r feithrinfa am bedwar diwrnod yr wythnos, heb unrhyw fwyd (YDY, mae hyn yn lot!) ond roedd gwybod ei bod hi mewn dwylo da ac awyrgylch Gymraeg hapus yn helpu'r hit misol. Cyfnod ydy o – er ei fod o'n teimlo'n gyfnod uffernol o hir!

TIP!: Sicrhewch bod enw eich plentyn i lawr ar restr aros y feithrinfa ymhell o flaen llaw. Oes, mae rhestrau aros am bopeth pan mae'n dod i blant! Dwi'n adnabod sawl mam hynod o drefnus sydd wedi rhoi enw'r babi i lawr o fewn wythnos i'r enedigaeth!

TIP!: Os ydy Nain a Taid yn gwarchod y plant i chi, peidiwch â chwyno am y neiniau a'r teidiau yma wrth y mamau sy'n gorfod talu ffortiwn am ofal plant. Rydech chi'n uffernol o lwcus!

GWERSI NOFIO

Un fantais o ddychwelyd i'r gwaith ydy cael ychydig o bres i fwynhau bywyd efo'r babi unwaith eto. Wnes i gofrestru Elsi am wersi nofio i fabis gyda'r cwmni Waterbabies – £13 y wers (awtsh!) ond hwn oedd ein trît wythnosol ni. Dwi'n gallu nofio, ddim yn osgeiddig iawn, ond dwi'n gallu mynd o un pen i'r llall yn y pwll heb foddi, ond ro'n i'n awyddus i fagu mwy o hyder er mwyn gallu mwynhau'r dŵr gydag Elsi.

Roedd tair mam arall ar y cwrs gyda fi, ro'n i'n digwydd adnabod dwy ohonyn nhw, ac roedd pob un yn gyffrous a nerfus wrth inni geisio'n gorau i newid y babis, a chael ein hunain yn barod ar gyfer y wers gynta.

Roedd y gwersi'n grêt, yn ymlaciol ac yn ffordd hollol hyfryd o fondio gyda'ch babi bach yn y dŵr. Ges i'n synnu yn yr ail wers pan ofynnwyd inni ollwng y babis dan y dŵr a gadael iddyn nhw nofio aton ni! Roedd yn teimlo'n anghywir, fel pe bawn i'n gorfod ei boddi hi! Dwi'n credu bod yr athrawes wedi gweld yr ymateb brawychus ar fy wyneb a gofynnodd a allai ddefnyddio Elsi fel *guinea pig* i ddangos sut ddylien ni wneud hyn!

Esboniodd bod ein babis ifanc ni wedi treulio mwy o amser mewn dŵr nag allan o ddŵr, ac felly maen nhw'n hyderus a hapus yn y pwll – nyts yndê! Wrth iddi roi Elsi dan y dŵr, ges i'n rhyfeddu wrth iddi nofio tua metr tuag ata i, yn gallu gwneud rhywbeth na fydda i byth achos dwi'n casáu rhoi fy wyneb dan y dŵr! Waw! Ro'n i'n ysu i gael tro ac roedd hwn yn uchafbwynt i'r wers wythnosol.

TIP!: Mae'n haws newid cyn gadael y tŷ achos mae'n dipyn o gamp i newid a gofalu am y babi ar yr un pryd.

TIP!: Ewch â llaeth/bwyd gyda chi, achos mae babis yn llwgu ar ôl gwers nofio, ac yn debygol o gysgu ar ôl y wers. Mae'n debyg bod gwneud 25 munud o nofio i fabi yr un peth â 2 awr mewn campfa i ni, cofiwch. Ac nid nhw yw'r unig rai fydd angen bwyd a chwsg chwaith!

DATE NIGHTS

"Mae'n bwysig i dreulio amser gyda'ch gilydd, fel cwpwl, nid dim ond fel teulu."
Owain, 42

Rhwng y napis budur a jyglo bywyd fel rhiant a bod yn aelod o staff, mae'n hawdd iawn (ac yn normal iawn) i anghofio eich bod chi hefyd yn wraig neu'n bartner i rywun. Ac os nad ydech chi, wel mae'n un peth llai i feddwl amdano, o bosib!

Prin iawn yw'r amser i wario efo'ch gilydd ar ôl i'r babi gyrraedd (ac am yn hir wedyn) a dydy hynny ddim yn newid. Ond pan mae yna amser neu os oes rhywun yn cynnig gwarchod, ewch amdani (yn llythrennol!)! Un diwrnod mi fydd y babi bach yma wedi tyfu fyny ac yn gadael y nyth (peidiwch crio/dathlu eto) a byddwch chi'n treulio llawer mwy o amser efo'ch partner. Mae'n hawdd colli adnabod ar eich partner ac yn hawdd bod mewn sefyllfa o 'be ddiawl den ni'n mynd i siarad amdano'. Sdim angen gwario chwaith. Gallwch chi gael pryd o fwyd rhamantus yn y tŷ, mynd am dro i fyny'r mynydd neu i lan y môr neu fynd yn syth i'r gwely! (Ond ceisiwch beidio â syrthio i gysgu, er mor neis fydde hynny!)

ME TIME

Ro'n i, a dwi'n dal, yn ei gweld hi'n anodd rhoi amser i wneud rhywbeth i fi fy hun. Rhywbeth jyst i fi, sydd ddim yn cynnwys polish, hwfyr, y babi na'r gŵr, heb deimlo'n hollol euog. Pam ein bod ni'n teimlo'n euog am hyn?! Dwi'n gwybod bod hyn yn bwysig a bod pawb yn elwa o'r ffaith ein bod ni'n hapusach ac yn fwy *relaxed*, ond mae o mor anodd. Ar ôl cael babi mae fel pe bai euogrwydd yn mynd mewn i ryw fath o *overdrive* ac mae'n cymryd drosodd yn llwyr!

Yn ffodus, roedd Clara, un o'r mamau wnes i gwrdd â hi yn y dosbarth cyn-geni, yn dda iawn am drefnu i gwrdd a gwneud pethau, a hi gafodd y syniad o drefnu ein bod ni'n dwy yn mynd i ddosbarth gwnïo wythnosol yn Aberystwyth (*very rock 'n roll!*). Roedd hyn yn rhywbeth perffaith i fi gychwyn arfer gwneud rhywbeth i fi, rhywbeth syml, ddim rhy ddrud, ddim rhy bell o'r tŷ a rhywbeth fyddai Elsi'n elwa ohono, gan mai dysgu sut i wneud ffrogiau bach roedden ni. Er, rhaid cyfaddef na wnes i erioed gwblhau ffrog, ond dwi'n gwerthfawrogi'r ymdrech sy'n mynd mewn i ffrogiau *homemade* rŵan! Roedd cael dwy awr i fi fy hun, dal fyny efo ffrind a chanolbwyntio ar rywbeth ar wahân i'r babi a'r gwaith yn grêt.

CYFATHREBU

Mae pawb sy'n fy adnabod i yn gwybod mai'r un peth dwi'n dda iawn am wneud ydy siarad, a does dim dwywaith fod Elsi'n dilyn ôl traed ei mam yn hyn o beth, a hynny ers pan oedd hi'n 7 wythnos oed!

Crio ydy'r ffordd gynta mae'r babi'n cyfathrebu, wrth gwrs (ac mae hynny'n parhau am flynyddoedd mae gen i ofn!). Ond yn ôl www.parents.com mae'n debyg mai rhwng 2 a 3 mis oed mae'r babi pan mae'n cychwyn symud i'r synau babis cyffredin, hynny yw, y gw-gws a'r ga-gas ac ati. Daeth fy ngradd mewn Theatr yn ddefnyddiol iawn yn y misoedd cynta yma!

Fel mam, ro'n i'n gweld y cyfathrebu yma mor gyffrous. Ro'n i'n sgwrsio a chanu gydag Elsi ac yn darllen iddi am oriau, a hithau'n ateb 'nôl gyda gwên, ambell i gw-gw ac wedyn yn cychwyn dweud llythrennau 'p' a 'b' ac ati! Mae'r pethau bach yma yn gerrig milltir mawr, ac i *emotional wreck* fel fi, fi oedd yn crio wedyn, nid hi!

BRECHIADAU BABIS

> "Mae nifer o famau'n cytuno bod mynd â'r babi am frechiad yn brofiad torcalonnus. Y peth pwysig i gofio yw bod yr eiliadau anghyfforddus pan mae'r brechiad yn mynd mewn, yn llawer llai o *stress* a phoen nag y byddai'r babi a chi'n gorfod eu hwynebu pe na bai'n cael y brechiad." **Dr Laura**

Roedd yna gyfnod pan oedd y llyfr coch – hynny yw, y llyfr sy'n cofnodi iechyd a datblygiad eich plentyn – yn cael ei ddefnyddio'n gyson, a hynny'n benna pan oedd Elsi'n cael yr holl frechiadau. Roedd hi fel petai'n cael un brechiad ar ôl y llall, fel *pin cushion* bron â bod, oherwydd mae 'na gyfres o frechiadau mae pob babi'n cael eu cynnig rhwng tua 8 wythnos a blwydd oed.

Er bod nyrsys yn wych am wneud hyn, a'r mwyafrif yn gwneud i chi a'r babi deimlo mor gyfforddus â phosib, mae hi'n dal i fod yn anodd gorfod gwylio eich babi'n cael brechiad. Mae'n anoddach wrth iddyn nhw fynd yn hŷn hefyd, oherwydd maen nhw'n cofio'r boen o'r tro dwetha ac yn ypsetio wrth fynd yn ôl i'r un stafell. Dwi'n cofio'r euogrwydd eto, wrth i fi orfod dweud 'celwydd' wrth Elsi am y tro cynta, wrth addo, "Na, fydd o ddim yn brifo, cariad." Mae yna rai sefyllfaoedd pan nad ydy bod yn fam y peth gorau yn y byd. Dim llawer, ond roedd hwn yn un o'r rheiny i fi!

SINEMA

Mae mwy a mwy o lefydd yn trefnu digwyddiadau i rieni a phlant, ac un peth gwych oedd yn digwydd yn ein hardal ni oedd *baby screenings* – nid archwiliad meddygol ond dangosiad ffilm ar gyfer rhieni a babis!

Ro'n i'n mwynhau mynd ar ben fy hun neu gyda ffrindiau a'u babis nhw, ac roedd hi mor hawdd, gan mai dim ond eistedd i lawr oedd rhaid gwneud! Perffaith! Roedd un o'r sinemâu, sef y Llusern Hud yn Nhywyn, hyd yn oed yn rhoi paneidiau a dŵr am ddim i'r mamau ac yn rhoi goleuadau *fairy lights* ymlaen, a matiau newid ar y llawr yn y cyntedd, fel bod y profiad yn hollol ymlaciol i ni i gyd!

Cyn iddi droi'n 4 mis oed roedd Elsi wedi gweld sawl rom com, ffilmiau James Bond a ffilmiau Disney yn y sinema. Roedd hi wrth ei bodd gyda'r lliwiau llachar a'r gerddoriaeth ddramatig ar y sgrin fawr. Roedd yn annog iddi gyfathrebu mwy a byddai'n cicio ei choesau gan gyffro yn ystod y golygfeydd dramatig! Hwyl!

Mae'n grêt arbrofi gyda phrofiadau newydd fel hyn i weld beth sy'n gweithio a beth sydd ddim, ac er bod llai o ddewis yng nghefn gwlad, mi wnes i fwynhau'r hyn oedd ar gael i ni.

TEITHIO YN Y CAR

Mae meddwl am deithio mwy na phum munud yn y car efo babi bach yn hunllef i lawer o rieni. Yn ffodus, dwi a Gareth yn unigolion sydd wedi'n magu yng nghefn gwlad Cymru ac wedi gorfod teithio'n bell i gyrraedd llefydd. Roedd y ddau ohonan ni'n gytûn bod rhaid i Elsi ffitio i mewn i'n bywydau, ei bod hi'n rhan o'n bywydau prysur ni a ddim yn mynd i'n stopio ni rhag byw!

Pan oedd hi'n chwe wythnos oed, aeth i'w phriodas gynta, yn Birmingham, sydd tua tair awr o'r tŷ. Ro'n i ychydig yn nerfus am fynd â hi mor bell, ac yn poeni mwy am y siwrne yn y car nag unrhyw beth arall – ond dim ond un stop i fwydo a newid napi oedd raid. Roedd hi'n hapus iawn yn y cefn efo fi – digon o lyfrau stori, canu a DVDs amhrisiadwy Peppa Pig (oedd yn caniatáu i fi gael brêc) ac roedd hi'n hapus reit!

Dwi'n credu mai'r arfer efo teithio yn y car ar siwrne hir o oed ifanc iawn yw'r rheswm pam ei bod hi'n hapus i deithio yn y car neu'r camper-fan dros y blynyddoedd. Y mwya o brofiadau ryden ni'n eu rhoi i fabanod, y gore oll yn fy marn i. Mae'n gwneud bywyd yn haws ac yn fwy pleserus i bawb gan eu bod nhw'n arfer ffitio i fewn. Mae Elsi wedi dod i bobman efo ni ers y cychwyn cynta.

DANNEDD

> "Os oes gan eich babi fochau coch, os yden nhw'n driblo ac yn cnoi popeth o fewn gafael, mae'n debygol bod dannedd ar y ffordd. Mae nifer o deganau a sawl eli a meddyginiaeth ar gael i helpu, a gallwch chi hefyd roi ffyn moron, afal neu giwcymbyr i leddfu'r boen."
> **Dr Laura**

Roedd Elsi tua pedwar mis a hanner pan ymddangosodd ei dant bach gwyn cynta, ond roedd yr wythnosau blaenorol yn rhai poenus iawn... i bawb!

Driblo, blin, methu cysgu, gwylltio, cicio... a jyst fi oedd hynny! Na, wir i chi, pan mae'r dannedd ar y ffordd, mae'n gyfnod rhwystredig ac anodd i bawb, yn enwedig y babi, oherwydd hyd yn oed os yden nhw'n cychwyn cyfathrebu, does dim modd iddyn nhw ateb y cwestiwn "Be sy'n bod?" ac yn anffodus does dim llawer gallwch chi ei wneud, dim ond bod yn amyneddgar IAWN, a sicrhau bod digon o Calpol ar gael i'r babi a digon o Prosecco neu jin ar gael i leihau'r boen i chi!!

BATH MAWR

Rhwng o a 6 mis oed mae yna gymaint o ddatblygiadau a cherrig milltir, mae'n anhygoel. Un 'achlysur' mawr yn ein tŷ ni oedd cael bath efo Elsi am y tro cynta. Roedd hi bron yn bum mis oed pan gafodd hi fath gyda fi am y tro cynta. Roedd hi wedi bod yn cael bath yn y bath babi cyn hyn, ond roedd hi bellach wedi tyfu'n rhy hir ar gyfer hwnnw! Mae babis yn tyfu allan o bethau yn sydyn ac yn gwneud i chi sylweddoli pa mor gyflym mae'r cyfnod yma'n mynd!

Dwi ddim yn berson bath. Na, dwi ddim yn berson drewllyd, dwi jyst yn methu ymlacio mewn bath achos dwi'n rhy fyr i orwedd ynddo heb suddo, a dwi ddim wir yn mwynhau edrych i lawr ar fy holl *lumps and bumps*! Ond, pan o'n i'n disgwyl, wnes i weld budd mewn bath ac ro'n i'n gyffrous i gael bath efo Elsi, cyfle i gael cwtshys a hwyl yn y dŵr cynnes.

Ond faint o ddŵr i'w roi yn y bath? Pa mor gynnes? Sut o'n i'n mynd i'w chario hi mewn i'r bath heb lithro? Sut o'n i'n mynd i'w dal hi a golchi ei gwallt, a finnau yn y dŵr hefyd? Doedd hyn ddim yn brofiad ymlaciol, roedd angen cynllunio pob cam yn drylwyr!

Yn ffodus, roedd Gareth wrth law ac yn awyddus i helpu, achos doedd hi ddim mor hawdd ag ro'n i wedi meddwl, ac erbyn i fi fynd mewn i'r dŵr, roedd y tymheredd wedi gostwng yn sylweddol! Unwaith rydech chi yn y dŵr mae'n iawn, (er nad oedd yn gynnes iawn!) ac wrth iddyn nhw gryfhau mae'n dod yn haws o lawer oherwydd mae modd iddyn nhw ddal eu pennau i fyny ac ati, sy'n lot o help.

GWELY BACH?

Ar ôl pum mis o gysgu yn ein hystafell ni – yn sedd y car yn benna (mam ddrwg, meddech chi? Beth bynnag oedd yn gweithio, medde fi!) – dyma ni'n penderfynu bod rhaid i bethau newid oherwydd ar ôl y Nadolig ro'n i'n mynd i fod yn dyblu fy oriau gwaith i 40 awr (bw-hw-hw!), a doedd dim modd i fi ymdopi gyda hyn a'r diffyg cwsg, felly mewn i'r *cot bed* â hi!

Roedd y gwely bach yn yr ystafell drws nesa i'n llofft ni, felly roedd hynny'n gysur, ond roedd hi'n edrych mor fach yn y gwely 'mawr' gwyn yma efo'r ochrau uchel o'i chwmpas hi. Fel pe bai hi mewn cawell o ryw fath!

Do, mi gymerodd amser iddi setlo yn hwn hefyd, ond roedd Gareth a fi'n benderfynol nad oedd troi'n ôl, doedd hi ddim yn cael dod 'nôl i gysgu yn ein ystafell ni... er lles pawb! Diwedd cyfnod arall. Ac roedd hi'n rhyfedd bod 'nôl fel roedd hi, efo jyst ni'n dau yn y gwely eto, heb fabi yn fy mol a heb fabi yn yr ystafell o gwbwl. Dim ond brics a drws oedd rhwng y ddwy stafell, ond fues i'n effro am sawl noswaith ac yn methu ymlacio hebddi... heb sôn am feddwl 'manteisio' ar y sefyllfa!

MONITORS

Pan rydech chi'n cysgu mewn stafell ar wahân i'r babi, ac wrth iddyn nhw fynd i'r gwely yn gynt a setlo mewn i ryw fath o batrwm (ha-ha-ha!), mae'r *baby monitors* yn ddefnyddiol... ond hefyd yn boen tin!

Dwi ddim yn cysgu'n drwm iawn, ar wahân i pan dwi dan ddylanwad alcohol, ac roedd y dyddiau hynny wedi diflannu (dros dro!) gan fy mod i bellach yn fam barchus oedd yn cymryd y swydd yma o ddifri! Felly, roedd clywed pob symudiad a phob sŵn bach o dorri gwynt i grio am un eiliad ar y monitor, yn golygu llai o gwsg eto. Mae'r gŵr yn gallu cysgu trwy BOPETH, wir i chi! Dwi'n credu mai'r cefndir yn y fyddin a gorfod cysgu mewn pabell yng nghanol rhyfel sydd wrth wraidd hynny. Ond dwi'n clywed popeth ac yn methu'n lân â dychwelyd i gysgu os ydw i wedi deffro.

Ro'n i'n ôl ac ymlaen ac i fyny ac i lawr fel io-io am yr wythnosau cynta yma gyda'r monitor, yn methu'n lân ag ymlacio, ond mae fel petaech chi'n datblygu synnwyr newydd wrth i amser fynd yn ei flaen, ac rydech chi'n gallu dilyn eich greddf a gwybod pryd mae wir angen i chi fynd i stafell y babi i sicrhau eu bod nhw'n ocê.

Fyswn i ddim wedi bod heb y monitor, ond ro'n i awydd taflu'r bali peth allan o'r ffenest sawl gwaith, cofiwch, a dwi ddim fel arfer fel yna. Ond do'n i ddim awydd bod ar flaen y papur lleol, heb sôn am ar flaen y papur bro am 'golli arni'!

NADOLIG CYNTA

Mae'r Nadolig cynta ar ôl cael babi yn gyfnod cyffrous, ond wrth feddwl 'nôl mae hefyd yn OTT i rieni fel fi sy'n dueddol o fynd i ysbryd yr ŵyl go iawn!

Roedd Elsi yn bum mis oed ar ei diwrnod Nadolig cynta hi, ac yn ystod Tachwedd a Rhagfyr ges i fy sugno i mewn i hud a lledrith y Nadolig go iawn! Mae profi'r Nadolig trwy lygad rhiant yn hollol wahanol, fel dychwelyd i fod yn blentyn eto, ond hyd yn oed yn fwy cyffrous na hynny os rhywbeth, oherwydd rydech chi'n gwybod y 'gwir', ac yn actio a bod yn hollol OTT wrth weld Siôn Corn, coeden Dolig a charw! Ro'n i 100 gwaith yn fwy cyffrous nag Elsi am bopeth achos doedd hi ddim callach beth oedd yn digwydd! Pam ein bod ni'n gneud hyn, dedwch?!

Rhwng y gweithgareddau Nadolig yn y meithrinfeydd a'r canu carolau a gwneud crefftau gyda'r babis (a heb y babis) ymhob grŵp Mamau a Phlant, a mynd i weld bob Siôn Corn oedd i'w gael, roedd hi'n chwe wythnos o dinsel a *glitter* – ro'n i wrth fy modd go iawn.

Ro'n i'n mynnu bod yn rhaid i Elsi gael coeden Nadolig go iawn hefyd, nid yr un blastig oedd yn byw yn yr atig, yr un oedd wedi bod yn gwneud y tro ers sawl blwyddyn. Doedd honno bellach ddim yn ddigon da, ond pam?! Doedd yr Elsi bum mis oed ddim callach beth oedd yn digwydd, nag oedd?!

Roedd yn rhaid i fi fynd i Lundain ar gwrs gyda'r gwaith cyn y Nadolig, a gan fy mod i'n dal i fwydo Elsi cyn ac ar ôl gwaith, a gan nad o'n i (na Gareth) eisiau i fi fod i ffwrdd dros nos, penderfynom fynd ag Elsi i weld goleuadau Llundain, gwneud penwythnos ohoni a mynd o amgylch y siopau yn Regent Street a Hamleys wrth gwrs (mae hynny'n

brofiad nyts gyda llaw) a hyd yn oed Winter Wonderland yn Hyde Park! Pum mis oed oedd hi – nyts! Ro'n i, ac ryden ni'n dal i fwynhau rhoi gymaint o brofiadau â phosib iddi hi, ond dwi'n credu bod mynd â babi pum mis oed o amgylch Llundain mewn bygi, yn y tywydd oer, yng nghanol yr haid o siopwyr gwyllt ychydig wythnosau cyn y Nadolig, wedi bod yn benderfyniad gwirion! Mae bygis a'r Underground yn dipyn o fenter i unrhyw un, ond mae cyfuno hynny gyda chyfnod prysura'r flwyddyn yn rhywbeth arall! Parch i famau Llundain ar y pwynt yma!

Ro'n i wedi bwriadu coginio gwledd Nadolig fy hun, nid bod Elsi'n bwyta eto, ond jyst iddi gael gweld bod ei mam yn gallu ymdopi efo coginio cinio Nadolig a gweld beth fyddai'n ei fwyta blwyddyn nesa... Ond ges i eiliad o *get real* a derbyn gwahoddiad fy rhieni i fynd am ginio i'w tŷ nhw. Y realiti ydy (sori) nad ydy'r babi'n mynd i gofio'r Nadolig cynta, na'r ail na'r trydydd! Ond peidiwch â gadael i hynny'ch stopio chi rhag gwneud yr un fath, oherwydd cyfnod byr ydy o, yndê? Fe geith Elsi werthfawrogi'r holl ymdrech achos mae gen i o leia 1,000 o luniau a fideos sy'n cofnodi'r cyfnod!

BALANS TEULU A GWAITH

O beth wela i, mae cael y balans cywir rhwng bywyd teuluol a bod yn fam a bywyd gwaith fwy neu lai yn amhosib! Cyn dod yn fam, gwaith oedd un o'r pethau pwysica yn fy mywyd i, gan fy mod i wedi cael fy magu gan deulu o *workaholics*! Mae sylweddoli bod pethau pwysicach yn y byd na gwaith yn rhywbeth sydd wedi cymryd blynyddoedd i fi ddysgu... a dwi'n dal i frwydro gyda'r balans yma o ddydd i ddydd, a bod yn onest!

Roedd Elsi'n bum mis oed – neu'n 20 wythnos oed – ac felly roedd yn rhaid i fi gynyddu fy oriau gwaith eto. Roedd fy nghyflogwyr wedi caniatáu i fi weithio 20 awr yr wythnos am ddau fis, ond roedden ni wedi cytuno byddai hyn yn cynyddu i 40 awr wedyn, ond ro'n i heb sylweddoli pa mor anodd fyddai hynny!

Mae ceisio cael eich hun yn barod i fynd i'r swyddfa bedwar bore yr wythnos yn ddigon o dasg pan mae gynnoch chi fabi bach i'w fagu. Ond mae cael y ddau ohonoch chi'n barod yn stori arall... ac roedd gen i Gareth i helpu hefyd.

06:00 Codi a chawod a trio gwneud i fy hunan edrych yn gall.

06:30 Deffro Elsi – oedd ddim yn codi fel arfer tan 7.

07:15 Gadael y tŷ ar ôl bwydo Elsi a bachu llymaid o de oer a beth bynnag oedd yn saff i'w fwyta ar y ffordd, a gyrru 18 milltir i'r feithrinfa.

07:50 Gollwng Elsi yn y feithrinfa a rhuthro i'r swyddfa ar ôl straffaglu i ffeindio lle parcio yn Aberystwyth – tasg a hanner bob dydd! GRRRRR!

08:00-17:50 Gweithio'n galed, pen lawr a thrio peidio crio wrth feddwl am Elsi yn y feithrinfa.

17:59 Casglu Elsi o'r feithrinfa cyn iddyn nhw gloi'r adeilad am 18:00!

18:00-18:30 Gyrru adre a chanu yr holl ffordd er mwyn cadw Elsi'n effro, er fy mod i bron â chrio eisiau cysgu hefyd!

18:30 Bwydo Elsi. Bwyta beth bynnag roedd Gareth wedi paratoi i swper/unrhyw beth o fewn cyrraedd!

19:00 Ar ôl hanner awr yn unig o chwarae/darllen/cwtsho, rhoi Elsi yn y gwely.

20:00 Mynd i'r gwely gan y byddai'n rhaid codi eto i fwydo a setlo Elsi rhwng 1 a 2, cyn mynd trwy'r un rwtîn eto fory.

Roedd hyn yn LLADDFA! Ar y dydd Gwener ro'n i'n cael diwrnod llawn gyda hi, ac yn ceisio anwybyddu'r ffaith fy mod i ar fy ngliniau wedi blino, ac yn ceisio gwneud y mwya o'r unig ddiwrnod ro'n i'n ei gael gydag Elsi.

Mae'n galed, yn uffernol o galed, ond mae pob un ohonan ni'n gorfod gwneud yr hyn sydd ei angen. Mi fyddwch chi YN cael cyngor di-ben-draw a diangen gan lot o bobol, yn enwedig pobol hŷn sydd ddim yn dallt pam eich bod chi'n gweithio oriau mor hir a chithe'n fam. Mi glywais i "Adre ydy dy le di, efo'r babi bach lyfli 'na sydd gen ti" filoedd o weithiau, ac o'n, ro'n i'n cytuno. Ond fel dwi wedi dweud eisoes, mae pethau wedi newid, mae'n rhaid i'r mwyafrif ohonan ni weithio a chyfrannu at y biliau. Ac yden, 'den ni hefyd eisiau ennill pres a bod yn annibynnol, er mwyn gallu byw a rhoi profiadau da i'n plant ni. Dydy hyn DDIM yn ein gwneud ni'n famau gwael!

HELP!

Er gwaetha'r ymdrech galed, brwydro yn erbyn y blinder, y dagrau a'r euogrwydd a chyngor diddiwedd, doedd fy rwtîn gwyllt ddim yn gynaladwy a ddim yn gweithio. Roedd fy nghorff a fy meddwl yn sgrechian arna i i newid pethau cyn i fi fynd yn wirioneddol sâl. Pan es i am *check-up* yn y feddygfa ar ôl deg wythnos o'r rwtîn newydd 'ma, dwedodd y nyrs ei bod hi'n poeni amdana i.

"You're not yourself. I'm worried about you, you need to slow down or you'll be ill."

Dwi'n cofio'r geiriau'n iawn, a dwi'n cofio beichio crio yn y fan a'r lle a hithau'n gafael yndda i'n dynn. Doedd Elsi ddim efo fi, ac ro'n i'n falch, oherwydd ro'n i'n teimlo'n euog eto, fel pe bawn i'n methu fel mam, fel gwraig ac fel person.

Wrth edrych yn ôl, wrth gwrs nad oedd hyn yn gynaladwy ond doedd o ddim yn golygu methiant. Ro'n i'n trio bod yn bopeth i bawb, ond ddim yn gwrando ar fy nghorff fy hun. Roedd yn rhaid i bethau newid.

Dydy hi ddim yn hawdd esbonio'r sefyllfa wrth eich cyflogwyr, a dwi'n dallt ei bod hi'n anodd i gyflogwyr fod yn hyblyg, yn enwedig mewn cwmnïau bach, ond roedd hi'n agoriad llygad i weld sut roedd yn rhaid i fi frwydro i gael lleihau fy oriau, a dwi ddim yn eithriad yn hyn o beth, sy'n sefyllfa drist iawn. Does dim dwywaith bod angen mwy o gefnogaeth i famau sy'n dychwelyd i'r gwaith, a mwy o hyblygrwydd ac mae angen addysgu cyflogwyr am hyn – a chofio bod pawb wedi dod o fol Mam.

TIP!: Os nad ydy'ch cyflogwr yn barod i drafod, peidiwch ildio. Os yden nhw'n eich gwerthfawrogi chi, mi fyddan nhw'n gwrando ac yn fodlon trafod ac addasu pethau er mwyn siwtio pawb. Ro'n i'n llwyddiannus yn fy ymgais, a ges i bob yn ail ddydd Mawrth i ffwrdd o'r gwaith, yn ogystal â'r dydd Gwener. Yn y pen draw mae'n well i bawb oherwydd rydech chi'n fwy cynhyrchiol ac yn hapusach.

STWNSHO

Yn ôl yr arbenigwyr mae babanod yn barod i ddechrau bwyta bwyd go iawn pan maen nhw tua chwe mis oed, gan mai dyma pryd mae'r system dreulio wedi datblygu'n ddigonol i ddelio gyda'r *solids*. Ac roedd hynny'n wir yn ein hachos ni. Ro'n i wedi bod yn ddigon lwcus i gael profiad da ar y cyfan gyda'r bwydo o'r fron... diolch i Elsi a'i sgiliau. Heb anghofio'r dail bresych!

Roedd hi'n bryd dod â'r cyfnod i ben oherwydd roedd Elsi angen mwy o fwyd na'r hyn ro'n i'n gallu ei gynhyrchu, a gan fy mod i'n gweithio oriau hir, doedd bwydo o'r fron ddim yn ymarferol bellach. Ac ro'n i angen y cwsg yn fwy nag erioed! Ro'n i'n methu'r bondio agos, ond ddim yn methu'r codi yn y nos, a rŵan roedd Gareth yn gallu rhannu'r baich. *Win win*!

Sut ydech chi'n gwybod bod babi'n barod i fwyta? Dyma'r cyngor o wefan www.nhs.uk:

1. Mae'r babi'n gallu eistedd a dal ei ben yn llonydd.
2. Mae'n gallu cydsymud y llygaid, y dwylo a'r geg fel bod modd edrych ar y bwyd, codi'r bwyd a'i roi yn y geg.
3. Mae'n gallu llyncu bwyd, yn hytrach na gwthio'r bwyd 'nôl allan.

Mae'n brofiad rhyfedd cyflwyno bwyd i'ch babi am y tro cynta, a byddwch yn barod am lot o gyngor eto. Mae yna systemau gwahanol i gyflwyno'r babi i'r bwyd, ond does dim rhaid dilyn pawb arall a phoeni am y peth, oherwydd yn syml iawn, rhoi bwyd yn eu ceg nhw ydy'r bwriad, yndê, ac mae hynny'n hawdd iawn o'i gymharu â nifer o'r pethau babis 'ma!

Byddwch yn barod am lot o chwerthin a hwyl yn ystod y cyfnod yma hefyd. Mae'n garreg filltir arall ar hyd y siwrne gyffrous, a bydd yna wynebau doniol o'ch blaenau chi, wrth i'r babi brofi gwahanol fwydydd! Mae fel gweld y bobol yna sy'n gwneud *gurning* (gwglwch hyn!).

Stwnsho ydy'r peth cynta wnes i, ac mae o mor hawdd ac mor rhad ac iach hefyd, wrth gwrs. Stwnsho llysiau a ffrwythau i fod mor llyfn â phosib, fel *purée*. Tatws melys, moron ac afal oedd hoff fwydydd Elsi – dant melys fel ei thad! Doedd hi ddim yn hoffi'r reis babis. Do'n i erioed wedi gweld na chlywed am hwn o'r blaen. Mae'n hawdd ei wneud a dim ond cymysgu llaeth neu laeth y frest i'r powdr sydd angen, ond doedd hi ddim yn hoffi'r blas na'r gwead. Roedd hwn yn cael ei boeri allan yn syth! Mae bwydydd jar ar gael hefyd. Dyna ges i pan o'n i'n fach a dwi ddim gwaeth, ond ro'n i'n mwynhau gwneud y bwyd fy hun i Elsi, ac arbrofi gyda bwydydd gwahanol, cyn cyflwyno bwyd solet fel darnau o ffrwythau amrwd a ffyn llysiau wrth fynd ymlaen.

TIPS!

1. Roedd llyfrau Annabel Karmel yn ddefnyddiol iawn er mwyn rhoi syniadau am fwydydd gwahanol i'w stwnsho a'u cyflwyno i'r babi.
2. Defnyddiwch lwy blastig fechan a sicrhewch bod digon o'r rhain gyda chi er mwyn i'r babi chwarae a dod i arfer efo un tra byddwch chi'n ei fwydo gyda'r llall.
3. Mae angen digon o *baby wipes*, mwslin a dillad sbâr i chi ac i'r babi oherwydd mae hwn yn gyfnod o lanast! Bydd angen ailbeintio'r gegin o bosib!

4 Byddwch yn barod am y cewynnau lliwgar a drewllyd. Bydd angen newid y cewynnau yn fwy cyson ar y dechrau!

5 Ro'n i'n bwydo Elsi ar fy nglin neu yn y Bumbo i ddechrau ac yna mewn cadair uchel. Does dim rhaid prynu cadair uchel ddrud oherwydd maen nhw'n cael eu gorchuddio â bwydydd a llanast bob dydd!

6 Mwynhewch y cyfle i ymlacio oherwydd os ydech chi wedi bod yn bwydo o'r fron, mae hyn yn gyfle i Dad gamu i mewn a chael cyfle i fondio efo'r babi. Roedd fy ngŵr i wrth ei fodd, a finnau'n cael mwynhau gwylio'r teledu/cael paned gyfan am y tro cynta ers misoedd!

GEIRIAU CYNTA

"Dwi'n cofio fy mab i'n rhegi pan oedd o'n fabi ifanc iawn! Cofiwch eu bod nhw'n clywed popeth ac yn copïo beth rydech chi'n gwneud a dweud… 'That b****rd gate is open again'!" **Dafydd, 45**

"MamMamMamMamMam" oedd geiriau cynta Elsi... ac nid dim ond fi glywodd hyn, felly mae o'n wir! Mae'n rhyfedd clywed y babi'n mymblo synau gwahanol ac yn arbrofi gyda pitsh. Mae yna sawl gwich, sgrech ac ailadrodd llythrennau wrth iddyn nhw arbrofi ac mae o'n gyfnod hynod o gyffrous a doniol. Maen nhw'n chwythu swigod neu chwythu mafon fel maen nhw'n dweud, am gyfnod hefyd, ond pan maen nhw'n cychwyn dweud geiriau mae pawb yn gwirioni'n lân!

Ro'n i wrth fy modd mai Mam oedd gair cynta Elsi. Roedd hi'n chwe mis oed pan ddywedodd hi'r gair, ac roedd hi'n gallu gweld pa mor gyffrous roedden ni i gyd. Yn enwedig fi! Roedd hi'n mwynhau ailadrodd y gair trwy'r amser wedyn, a do'n i ddim yn diflasu ar hyn o gwbwl. Ac, yn ffodus, Dad oedd yr ail air!

Mae'n hwyl dysgu geiriau iddyn nhw. Maen nhw'n syllu ar eich gwefusau chi o hyd ac yn ceisio dynwared siâp a ffurf eich ceg chi er mwyn dweud yr un peth! Unwaith dechreuodd hi siarad, doedd dim stop... a does ryfedd, fi yw ei mam hi wedi'r cyfan, ac os ydw i'n arbenigwr ar unrhyw beth, siarad ydy hynny!

SUL Y MAMAU

Cyn cael Elsi, ro'n i'n gweld Sul y Mamau yn faich, a bod yn onest. Beth o'n i fod i neud, beth o'n i fod i brynu? Esgus arall i wario! Ydw, dwi'n caru Mam, ac yn gwerthfawrogi popeth mae hi a Dad wedi ei wneud i fi, ond oedd wir angen Sul y Mamau?

Ar ôl cael Elsi ro'n i wrth fy modd bod y diwrnod hwn yn bodoli, nid dim ond achos 'mod i'n cael fy sbwylio ac yn cael diolch swyddogol am yr hyn ro'n i wedi llwyddo i wneud hyd yma, ond oherwydd ro'n i bellach wedi dysgu beth roedd Mam wedi bod trwyddo, yn gallu gwerthfawrogi popeth roedd hi wedi ei wneud hyd yn oed yn fwy.

Nid gwario, ond gwario amser sy'n bwysig, dyna'r peth pwysica dwi wedi'i ddysgu ers cael Elsi. Felly, bob Sul y Mamau byddwn ni'n trio treulio amser gyda fy mam i a mam Gareth, yn creu atgofion... ond wrth gwrs, mae'r Prosecco a'r blodau yn neis iawn hefyd!

S.O.S. - BABI AR GOLL!

Dwi'n cofio gadael Elsi yn y lolfa tra o'n i'n mynd i'r tŷ bach, a phan ddes i'n ôl roedd hi wedi diflannu! Wnes i ddim clywed lleidr yn dod i mewn a'i dwyn hi, a na, wnes i ddim colli Elsi yn unman... Roedd Elsi wedi llwyddo i gropian o'r lolfa, heibio'r tŷ bach, ac i mewn i'r gegin. A dyna lle roedd hi â gwên fawr ar ei hwyneb yn edrych yn hynod o falch ohoni'i hun yng nghanol y llawr, ac yn mwynhau fy ngweld i'n edrych mewn rhyfeddod arni, ac wedi drysu'n lân!

Ro'n i wedi bod yn annog Elsi i gropian ers deufis, ond a hithau bellach bron yn naw mis oed, roedd hi wedi mynd! Yr hyn wnes i ddim sylweddoli oedd faint o waith roedd hyn yn ei olygu. Roedd angen rhoi fy siaced felen a'n het galed ymlaen a mynd ati ar frys i wneud asesiad risg o bob twll a chornel o'r tŷ, achos doedd dim byd yn ddiogel rŵan!

Roedd hi'n ta-ta i'r *fairy lights* ar hyd a lled y lolfa, roedd angen rhoi *plug covers* ar y socedi ac roedd angen symud popeth yn uwch, yn lle bod y babi bach cyflym yma'n dinistrio unrhyw beth o fewn cyrraedd. Ac yn bwysicach na'r llestri Lowri Davies hyd yn oed, roedd angen sicrhau bod Elsi yn ddiogel... achos mae babis yn gryf!

Y teledu oedd fy mhryder penna. Diolch i'r gŵr wnaeth fy nal i ar foment wan yn Currys, mae gyda ni un o'r setiau teledu gwirion o fawr yna ar stand bach yng nghornel y lolfa. Wnes i dreulio oriau yn symud Elsi o'r teledu, yn rhoi'r holl deganau lliwgar yr ochr arall i'r ystafell er mwyn sicrhau nad oedd hi'n mynd yn agos at y bwgan du 50 modfedd. Ond na, roedd hi'n mynnu mynd ato, hyd yn oed pan oedd o wedi ei ddiffodd, achos roedd hi'n gallu gweld ei hadlewyrchiad ar y sgrin! Dwi'n siŵr i mi gerdded milltiroedd yn ôl ac ymlaen yn ei hachub hi o'r drychineb yma oedd yn cadw fi'n effro yn y nos! Y gelyn arall oedd y grisiau. Roedd hi'n benderfynol o ddringo'r grisiau o fewn dyddiau iddi ddechrau cropian ac yn ffodus, roedd modd atal hyn gyda giât grisiau!

Dwi'n adnabod sawl rhiant sydd wedi gosod eu babis mewn *playpen* am fisoedd ar ôl iddyn nhw ddechrau cropian, achos o leia roedden nhw'n gwybod ble roedd y babi! I fi, roedd hynny fel gosod y babi mewn cawell, fel petai'r babi'n anifail gwyllt, ond dyna wnaeth Mam efo fi, ac wrth feddwl am Elsi a'r teledu, ro'n i'n gallu gweld yr apêl. Ond wnes i ddim prynu un chwaith!

Roedd yn rhaid gwneud mwy o ymdrech i lanhau a thacluso hefyd, oherwydd rhwng dechrau bwyta bwydydd solid a chropian, roedd Elsi'n pigo popeth i fyny ac yn mynnu ei roi yn ei cheg! Esgidiau, fflwff, cerrig o'r ardd... popeth! Cyfnod prysur iawn ond cyffrous ar yr un pryd.

DWI'N MYND!

Na, do'n i ddim wedi cael llond bol ar y cyfnod prysur yma ac wedi penderfynu canslo aelodaeth y clwb, ond ro'n i yn barod am noson allan! Dyma'r noson allan gynta un gyda'r merched ers i Elsi gael ei geni – roedd hyn yn *big deal*.

Beth i'w wisgo?! Do'n i erioed wedi treulio gymaint o amser allan o'r *sequins*, mae fy nghwpwrdd dillad yn llawn *sequins*, ond yn anffodus, doedd y *sequins* ddim yn mynd i fynd yn agos i'r corff newydd llydan yma! Mae fel pe bai popeth yn symud a shifftio ar ôl i chi gael babi; y traed a'r cefn yn lledu, y bol bob llun a siâp, a phan mae'n dod i'r bronnau, wel mae pethau'n mynd *down hill* go iawn! Dwi'n sicr bod

Holly Willoughbys y byd yma wedi eu creu o rywbeth gwahanol i ferched cyffredin fel fi!

Ta waeth, ar ôl chwalu'r cwpwrdd a chwysu chwartiau, a dychmygu fy hun yn mynd allan mewn pyjamas neu fag bin, wnes i benderfynu gwisgo ffrog *maxi*, oedd yn cuddio'r rhan fwya o'r pechodau, yn fwy smart nag unrhyw beth ro'n i wedi gwisgo ers sbel, ond hefyd yn gyfforddus. Ew, ro'n i wedi newid gymaint!

Roedd y ffrog hefyd yn cuddio'r sandalau fflat digymeriad oedd ar fy nhraed i. Roedd rhaid gwisgo'r rhain oherwydd roedd fy nhraed wedi lledu gymaint nes bod dim modd rhoi fy esgidiau smart ymlaen, ac roedd cerdded mewn sodlau bellach yn amhosib! Fyswn i ERIOED wedi mynd allan mewn esgidiau fflat cyn cael Elsi, achos mae trio denu sylw'r person y tu ôl i'r bar yn her pan rydech chi'n 5 troedfedd ac 1 fodfedd. Ond roedd y blaenoriaethau wedi newid erbyn hyn – bod yn gyfforddus yn bwysicach na bod ar flaen y ciw!

Rhywbeth arall ro'n i heb ystyried oedd pa mor anodd fyddai gadael y tŷ. Roedd hi'n anodd gadael y tŷ efo babi, yn enwedig babi prysur oedd yn symud yn gynt nag erioed, ond roedd gadael y tŷ heb y babi yn beth arall. Ro'n i'n teimlo'n drist, ddim eisiau mynd, fel pe bawn i'n gwneud rhywbeth o'i le a ddim yn cymryd y swydd yma o ddifri – yr euogrwydd bythol yma. Yn ffodus, roedd fy ffrindiau'n mynd trwy'r un peth ac un ohonyn nhw'n mynd allan heb y babi am y tro cynta fel fi, felly roedd hynny'n gwneud pethau'n haws. Roedd fy ngŵr yn awyddus i fi fynd i fwynhau, ac ro'n i'n gwybod y byddai Elsi'n iawn hebdda i, ond ro'n i'n gweld y peth yn anodd iawn. Roedd yna sawl her arall yn ystod y noson hefyd!

1 Trio peidio sgwrsio am fabis

Roedden ni i gyd wedi cael noson i'n hunain, i fwynhau ac i fod yn Heulwen ac Elin a Clara ac ati, yn lle bod dim ond yn fam, ond y cyfan roedden ni'n siarad amdano oedd y babis! Roedd hi'n amhosib peidio trafod napis, cropian, stwnsh afal ac ati. Roedden ni'n trio'n gore i beidio â meddwl am bethau eraill, ond y realiti oedd mai dyma oedden ni bellach – mamau, ac unwaith rydech chi yn y clwb yma, mae'n amhosib peidio trafod y plant bob munud!

2 Pwmpio llaeth

Roedd rhai o'r mamau oedd allan y noson honno yn dal i fronfwydo, a wna i fyth anghofio'r olygfa o Sarah, un o'r mamau oedd wedi symud i Fachynlleth o ardal Canterbury, yn pwmpio llaeth o'i bron yn y tŷ bach yn y dafarn, gwin mewn un llaw a phwmp yn y llall!

Roedd hi eisiau sicrhau ei bod hi'n dal yn cynhyrchu llaeth. Dwi wedi gweld

sawl golygfa gofiadwy mewn tafarn, ond roedd hon yn newydd i fi! Y pethe 'den ni'n gwneud, yndê!!

3 Yfed

Do'n i ddim wedi yfed alcohol yn iawn ers y noson allan ym Manceinion, jyst cyn i fi gael gwybod fy mod i'n feichiog, felly ro'n i allan o bractis go iawn! Roedd rhai o'r merched yn ysu am sesh ac yn llowcio eu peints a'u gwin un ar ôl y llall, ond roedd meddwl am *hangover* a babi yn uffern ar y ddaear i fi! Rydech chi wedi dallt erbyn rŵan mae'n siŵr, fy mod i'n cael *hangovers* gwael ac yn dueddol o chwydu lot, felly wnes i benderfynu peidio mynd yn rhy wyllt. Ro'n i'n fam barchus, cofiwch!

O.N. Dwi wedi profi sawl *hangover* ers hynny ac ydy, mae o'n uffern ar y ddaear ac yn *embarrassing* iawn pan mae'n rhaid dweud celwydd wrth eich plentyn pam fod Mam yn chwydu!

4 Beichiog?!

Bu bron i fi syrthio'n glep ar lawr y dafarn pan ddaeth un o ffermwyr yr ardal ata i a dweud llongyfarchiadau!

"Am be?" medde fi.

"Ti'n feichiog eto," medde fo!

O, Mam bach, roedd o'n syllu ar fy mol i ac yn meddwl 'mod i'n feichiog!

"Na, bol fi ar ôl cael Elsi ydy hwn," medde fi.

Bu bron iddo yntau lewygu yn y fan a'r lle, dwi erioed wedi gweld ffarmwr mor gegagored ac wedi chwythu gymaint! Diflannodd â'i gynffon rhwng ei goesau!

Er gwaetha'r anffawd gyda'r ffarmwr, mi wnes i fwynhau fy noson allan, ond mae o'n wahanol i'r nosweithiau allan cyn cael plant. Y noson hon wnaeth i fi sylweddoli bod y swydd Mam yma yn swydd am byth, ac yn wahanol i unrhyw swydd arall, dydech chi byth yn clocio allan. Mae'n gyfrifoldeb am weddill eich hoes, ac ar eich meddwl chi bob eiliad o'r dydd. Roedd penderfynu peidio gwastraffu pres ar ddiod arall, peidio meddwi a phenderfynu mynd adre cyn hanner nos, i gyd oherwydd Elsi. Ro'n i'n gallach oherwydd Elsi. Ro'n i'n falch o ddod adre'n gynnar ac yn llawer hapusach y bore wedyn achos doedd fy mhen i ddim mewn tŷ bach am weddill y dydd! Diolch, Elsi!

YMARFER CORFF

Y ffarmwr yn y dafarn oedd yr ysbrydoliaeth oedd ei angen arna i i ailgydio yn yr ymarfer corff. Oedd, mi roedd y ffarmwr yn feddw, ac efallai ei fod o "yn gweld dwbwl" fel dwedodd fy ffrind, ond oedd, mi roedd hi hefyd yn hen bryd i fi beidio defnyddio Elsi fel esgus i barhau i fwyta sothach! Roedd gen i stôn arall i'w cholli, ac roedd hi'n hen bryd cychwyn arni.

Na, wnes i ddim dechrau ymarfer ar gyfer hanner marathon arall! Dwi wedi ticio'r bocs yna, diolch yn fawr iawn. Y cyfan wnes i oedd mynd ati i gerdded eto, ac yna loncian ar y prom yn ystod fy awr ginio bob hyn a hyn. Roedd y ffaith fy mod i'n gweithio ger y prom yn Aberystwyth yn help mawr, ac yn fuan iawn, roedd criw ohonan ni'n cerdded a loncian amser cinio.

Oedd, roedd yna ddyddiau pan ro'n i wedi blino gormod i hyd yn oed feddwl am ymarfer, nosweithiau di-gwsg, hormonau'n dal yn rhemp, stres yn y gwaith... ond y gwir ydy, ro'n i'n teimlo gymaint yn well ar ôl mynd, ac yn cysgu'n well hefyd. Roedd ymarfer corff yn gwneud gwahaniaeth mawr i fi, yn rhoi bwst i fi ac yn amser i fi ganolbwyntio ar rywbeth ar wahân i fod yn fam, yn wraig ac yn berson swyddfa. Roedd gweld effaith yr ymarfer a bwyta'n iach yn magu hyder hefyd. Ro'n i'n ôl yn y *sequins* yn llawer cynt nag ro'n i wedi'i ddisgwyl. Diolch i ti felly, Mr Ffarmwr, am dy sylw, ac am fy ysbrydoli i wneud ymarfer corff!

O.N. Mae hi'n bendant yn anoddach i golli pwysau ar ôl cael babi, ac mae'n rhaid i'r mwyafrif ohonan ni dderbyn na fyddwn ni byth yr un siâp eto... yn wahanol i Holly Willoughbys ac Alex Joneses y byd yma, sydd bob amser yn edrych yn berffaith. Damia nhw!!!

FFIGYRAU DWBWL

Roedd cyrraedd 10 mis oed yn garreg filltir arall. Ro'n i wedi rhoi'r gorau i gyfri oedran Elsi mewn wythnosau, ac roedd Elsi bellach wedi bod allan o'r bol mwy o amser nag oedd hi wedi bod yn y bol, ac roedd hi wedi cyrraedd ei ffigyrau dwbwl cynta. Roedd ei phen-blwydd cynta ar y gorwel, ac ro'n i'n gweld fy hun yn edrych 'nôl a rhyfeddu at yr holl newidiadau roedden ni wedi'u profi dros y 10 mis yma. Roedd Elsi wedi altro gymaint ac wedi dysgu gymaint mewn 40 wythnos, ac roedd fy mywyd i a Gareth wedi newid yn llwyr. Roedden ni'n dîm go iawn, ac ro'n i'n hynod o falch sut roedd y siwrne'n mynd hyd yma.

SUL Y TADAU

Dwi, fel sawl mam a gwraig, yn dueddol o gwyno am y dynion yn ein bywydau! Maen nhw'n boen tin yn ddigon aml – yn enwedig pan maen nhw'n gadael sedd y tŷ bach i fyny, yn anghofio cau drysau, yn credu mai tylwythen deg sy'n hwfro a dystio... OND y gwir ydy, does gen i ddim lle i gwyno go iawn, dwi'n ddiolchgar iawn bod gan Elsi dad mor gariadus a lyfli. Mae o'n dad ffantastig ac yn ŵr da a fyswn i ar goll hebddo. Dwi'n ddiolchgar amdano bob dydd, ac nid dim ond ar Sul y Tadau!

Mae gweld y dyn rydech chi'n ei garu yn dod yn dad, yn bondio gyda'ch plentyn, yn gwneud i'r plentyn chwerthin nes eu bod nhw'n sâl ac yn eu cwtsho nhw mor dynn, yn hollol anhygoel. Un o fy hoff bethau i ydy gwylio Gareth ac Elsi o bell, heb iddyn nhw sylwi fy mod i yno, nid mewn ffordd *creepy* neu fel rhyw fath o dditectif, ond er mwyn cael golwg pry ar y wal ar eu perthynas arbennig nhw.

Mae Sul y Tadau, fel Sul y Mamau felly, yn esgus i feddwl am y pethau yma ac i ddiolch yn swyddogol am dad ein plentyn, ond hefyd ein tad ni. Pan dwi'n meddwl am fy mhlentyndod i, dwi'n fythol ddiolchgar i Dad am weithio mor galed i'n cynnal ni fel teulu. Ond yr atgofion mwya melys sydd gen i ydy'r atgofion o'r penwythnosau a'r dyddiau prin pan oedden ni'n cael amser teuluol yn y garafán, yn mynd i ffwrdd fel syrpréis a mynd allan am fwyd gyda'n gilydd.

Mae Dad yn fwy amyneddgar na Mam. Dad wnaeth fy nysgu i i reidio beic a gyrru car, a Dad oedd yn dueddol o sgwrsio efo fi am 'bethau mawr y byd'... a bechgyn! Dwi'n falch bod Sul y Tadau yn bodoli, er mwyn meddwl a diolch am yr hyn mae'r dynion yn fy mywyd i wedi ei roi i fi, ac yn rhoi i Elsi rŵan. Ar nodyn trist, mae Sul y Tadau yn ddiwrnod i gofio am dadau sydd wedi'n gadael ni, fel Bryan, tad Gareth, fyddai wedi bod yn daid gwych arall i Elsi.

Dwi'n ffrindiau da gyda sawl mam a thad sengl, ac fel y soniais i, mae gen i barch enfawr at bob un ohonyn nhw. Maen nhw'n gorfod jyglo popeth ar ben eu hunain, a sawl un heb unrhyw gefnogaeth gan y rhiant arall na'r teulu. Mae'r her ymarferol ac ariannol yn enfawr, ac er fy mod i'n gwylltio pan mae Gareth yn dod â'i esgidiau mwdlyd i mewn i'r tŷ, ac yn gadael i Elsi wylio'r iPad wrth y bwrdd bwyd a mynd â hi i McDonald's a Domino's yn amlach nag yr hoffwn i... dwi'n gwybod go iawn bod y pethau yma ddim yn ddiwedd y byd. Dwi'n gwybod pa mor lwcus ydw i i gael gŵr a thad mor gefnogol yn fy mywyd i, ac yng nghanol yr holl gwyno, mae angen i ni gydnabod hynny, yn does?

BRÊN BABI

> "Na, dydy hwn ddim yn gyflwr meddygol, er gwaetha sawl prawf gwyddonol! Yn bersonol, dwi'n credu mai cyfuniad o flinder, stres a meddwl am ein plant bob eiliad o'r dydd yw gwraidd y ffaith ein bod ni'n teimlo'n anghofus a *distracted*." **Dr Laura**

Mae rhywbeth rhyfedd iawn yn digwydd i'r brên ar ôl i chi gael babi! Dwi ddim yn feddyg ac roedd gwyddoniaeth yn un o fy nghas bynciau yn yr ysgol, ond wir i chi, mae fel petai'r brên yn cael creisis ar ôl cael babi, yn methu prosesu gwybodaeth na chofio pethau cystal ag yr oedd o cyn y newydd ddyfodiad!

Es i i'r garej i brynu disel yn fy slipars, es i i'r gwaith mewn siwmper tu chwith allan, a dwi'n methu cofio sawl gwaith dwi wedi bod yn y siop i brynu un peth angenrheidiol ac anghofio beth oedd hwnnw ar ôl i fi gyrraedd yno. Ond mae gen i un enghraifft sydd YN aros yn y cof, ac sy'n profi nad dim ond brên y fam sy'n troi'n jeli ar ôl cael babi!

Dwi'n ystyried fy hun yn berson trefnus, ac mae Gareth yn drefnus iawn hefyd. Felly, dychmygwch yr olygfa pan wnaeth y pâr trefnus yma a'u babi newydd gerdded i mewn i'r briodas anghywir! Gadewch i fi esbonio.

Roedd Katy, ffrind Gareth, yn priodi Stuart, Albanwr, yng Nghastell San Dunwyd (St Donat's) ym Mro Morgannwg, ac roedden ni ac Elsi wedi cael gwahoddiad – lyfli! Do'n i ddim yn adnabod Katy na Stuart, erioed wedi eu gweld nhw. Roedd Gareth a fi wedi darllen y gwahoddiad, yn cofio penwythnos y briodas, ond heb weld mai ar y dydd Gwener roedd y briodas. Wnes i drefnu bwthyn bach hyfryd i aros ynddo yn y Fro, trît bach i ni'n tri. Roedd Elsi wedi cael ffrog newydd hyfryd, ac ro'n i wedi llwyddo i golli digon o bwysau i ffitio mewn i un o fy ffrogiau *sequins*!

Fel cwpwl trefnus, wnaethon ni yrru i lawr yn gynnar ar y bore Sadwrn (ie, dydd Sadwrn, ydech chi'n gweld i ble mae hyn yn mynd?!), cyrraedd y llety, dadbacio, cael bwyd ac yna cyrraedd y briodas hanner awr yn gynnar. Wedi cyrraedd y maes parcio a gweld nifer o ddynion mewn kilts, roedd hi'n amlwg bod hon yn briodas posh – hwrê! Siampên am ddim, feddyliais i! Wnes i gerdded tuag at y gerddi, roedd Elsi gyda fi yn ei bygi yn edrych yn smart iawn. Roedd y parti priodas ar y lawnt, y dynion yn smart i gyd, daeth dynes â gwydraid o siampên i fi. Wnes i gymryd un llwnc cyn aros i Gareth ddod, gan mai fo, nid fi, oedd yn adnabod y bobol yma wedi'r cyfan.

Roedd pawb yn chwifio ata i, yn holi os o'n i eisiau help gyda'r bygi, yn canmol gwisg Elsi, pobol glên iawn. Cerddodd Gareth draw gyda'r anrheg yn ei law, a dyma aelod o staff yn holi a hoffen ni iddo fynd â'r anrheg draw i'r bwrdd anrhegion – grêt! OND wrth gerdded tuag at y parti priodas, rhuthrodd yr aelod staff yn ôl aton ni gyda'r anrheg.

"This gift is for Katy and Stuart," medde fo.

"That's right," medde Gareth.

Ac wedyn dyma fo'n gollwng y *bombshell*...

"That wedding was yesterday!"

OMG! Roedden ni yn y lle cywir, ar yr amser cywir ond 24 awr yn hwyr! Os na fyddai o wedi dweud unrhyw beth, o fewn deg eiliad, byddai Gareth, Elsi a fi yn y seremoni anghywir. Fyswn i ddim callach, oherwydd do'n i ddim yn adnabod neb, beth bynnag, ond ro'n i'n teimlo fel cymeriad yn y ffilm *Wedding Crashers*!

Ar ôl hanner awr o syndod pur, prosesu'r wybodaeth, a sylweddoli beth oedd wedi digwydd, dyma ni'n dau'n chwerthin fel *lunatics* wrth feddwl beth allai fod wedi digwydd. Dyma ffonio ffrindiau Gareth, oedd wedi priodi ddoe, ac esbonio pam nad oedden ni yno, ac ymddiheuro, ac ymddiheuro eto, eu bod nhw wedi talu am ein bwyd ni ac yn y blaen! Roedden nhw'n rhyfeddu bod Gareth o bawb wedi gwneud hyn, am ei fod o'n drefnus, ond yn chwerthin wrth feddwl amdanon ni yn y lleoliad, yn ein gwisgoedd, 24 awr yn hwyr!

"I didn't phone you in case something was up with the baby. I'm glad you're all ok!"

Yn ffodus, mae pobol yn barod i faddau a gweld yr ochr ddoniol ar ôl i chi gael babi, fel petai'n normal ac yn dderbyniol i chi anghofio pethau a bod yn anhrefnus. Felly'n amlwg, mae o'n rhywbeth cyffredin, ac yn ôl Mam, mae'n para am byth! Grêt!

BEDYDD

Dwi a Gareth wedi cael ein bedyddio, ac roedden ni'n dau'n gytûn ein bod ni eisiau bedyddio Elsi. Dyden ni ddim yn grefyddol iawn, ond mae'r ddau ohonan ni'n credu, ac roedd bedyddio Elsi yn benderfyniad hawdd i ni. Mae sefyllfa pawb yn wahanol, wrth gwrs, a dwi'n adnabod rhieni sydd wedi cweryla'n ddi-baid am hyn.

Dwi'n cofio fy mam yng nghyfraith yn sôn bod 'pawb' yn y pentref yn cael eu bedyddio pan roedd hi'n fabi, 60 mlynedd yn ôl, a dwi'n cofio aelod arall o'r teulu yn dweud bod yn rhaid bedyddio'r babi cyn ei fod yn flwydd oed. Does dim rhaid gwneud dim byd wrth gwrs!

Cafodd aelodau o deulu Gareth eu bedyddio yn y lolfa yn y tŷ efo dŵr tap, a dwi'n cofio gweld rhywun yn cael ei fedyddio yn y pwll nofio yn y ganolfan hamdden leol tra o'n i'n eistedd yn y caffi yn bwyta sglodion. Ond gwasanaeth traddodiadol, dwyieithog, yn Eglwys Aberdyfi gawson ni – y traeth, ac nid pwll nofio yn gefndir!

Mae dewis rhieni bedydd yn gyfrifoldeb! Rydech chi'n caru eich brawd a'ch ffrind gorau, ond ai nhw yw'r bobol orau i fagu'r plentyn os bydd rhywbeth yn digwydd i chi? Ac yden nhw'n bobol ddoeth i arwain a chefnogi eich plentyn trwy eu bywyd? A fyddai un ohonyn nhw'n gallu cymryd y cyfrifoldeb o ddysgu Elsi am addysg rhyw... a bechgyn?! Mae'n *big deal*!

Dydy hi ddim bob amser yn hawdd nac yn bosib dewis y bobol rydech chi'n dymuno dewis chwaith. Efallai bod angen iddyn nhw fod wedi'u bedyddio a'u derbyn i'r eglwys ac ati. Mae angen sgwrs gyda'r ficer neu bwy bynnag sy'n rheoli'r digwyddiad. Oes, mae angen cynllunio a threfnu o flaen llaw, ac mi fydd y bobol hŷn yn eich teulu chi yn mynnu bod hyn a'r llall yn digwydd, ond fel rhieni'r plentyn bach yma, chi sy'n gwybod orau! Does dim rhaid gwneud unrhyw beth!

BLWYDD OED

27 Gorffennaf 2013

Roedd Elsi'n un oed. Carreg filltir fawr. Roedd ein babi bach ni'n datblygu'n blentyn annibynnol, bron yn cerdded, yn siarad mwy a mwy o Gymraeg a Saesneg, a'i phersonoliaeth unigryw yn treiddio trwy'r cyfan. Roedden ni'n tri wedi goroesi'r flwyddyn gyntaf! Hwrê!

Fel pob rhiant arall, roedd fy mywyd i a Gareth wedi'i drawsnewid yn llwyr yn y flwyddyn gynta yma, ac o 'mhrofiad i, am y gorau. Roedd y ferch fach yma, oedd bellach yn gallu sefyll ar ei thraed ei hun (bron â bod!), wedi dysgu mwy i fi nag unrhyw un arall ar y ddaear yma.

Roedd popeth wedi newid. Ro'n i'n gweld y byd trwy lygaid newydd. Do'n i erioed wedi treulio gymaint o amser yn edrych yn ôl, yn meddwl am fy mhlentyndod, yn meddwl sut fath o *role model* dwi eisiau bod, heb sôn am yr holl edrych ymlaen. Roedd y lodes fach anhygoel yma wedi rhoi popeth mewn persbectif a gwneud i fi gwestiynu popeth amdana i fy hun a'r bobol o 'nghwmpas i. Roedd hon yn swydd am oes, does dim modd clocio allan, mae hyn am byth. Mewn un gair – WAW!

Hyd yn oed ar ôl darllen bob gair yn y llyfr yma, a sgwrsio efo pawb rydech chi'n adnabod, mae'n amhosib esbonio sut deimlad a phrofiad ydy bod yn fam, a chael bod yn aelod o'r clwb breintiedig yma. Mae'n rhaid i chi brofi'r peth, mynd ar y siwrne gyffrous, ddagreuol, heriol a hapus yma er mwyn gwybod pa mor anhygoel ydy hyn go iawn. A chofiwch, hyd yn oed os yden ni'n edrych fel pechod weithiau a heb gysgu ers misoedd, mae pob un aelod o'r clwb yma yn uffernol o freintiedig. Ni yw'r rhai lwcus – nid pawb sy'n cael y cyfle.

Os ewch chi ag un peth o'r llyfr yma gyda chi ar eich taith eich hunan, yr hyn hoffwn i chi fynd gyda chi a'i gofio yw pwysigrwydd Prosecco – na, jôc, pwysigrwydd amser! Gwnewch y gorau o'ch amser, gwnewch y mwya o'r amser gyda'ch gilydd a gwnewch beth sy'n teimlo'n iawn i chi. Stwffiwch bawb arall – dech chi yn y clwb rŵan, a Mam sy'n gwybod orau!

Ar ddiwrnod ei phen-blwydd yn un oed, ysgrifennais gerdd i Elsi. Na, dwi ddim yn fardd, ond mae'n crisialu'r flwyddyn gynta efo'n lodes fach ni!

Annwyl Elsi

Blwyddyn a diwrnod i heddiw, daeth newid byd i Dad a fi,
Ar ôl 9 mis, 5 diwrnod a 57 awr... o'r diwedd, mi gyrhaeddaist ti!
Wna i fyth anghofio dy weld di, am y tro cynta un,
Pan roddodd Dad y bwndel mwya perffaith ar fy nglin.
Gwyneb gorjys, dwylo bach, bach, a mop o wallt du,
O fewn munud, roedd gen ti enw, ein Elsi Dyfi fach ni.

Tasg a hanner oedd dy ddysgu ystyr y gair CYSGU!
Nid felly efo'r bwyd, fyddi di byth yn llwgu!
Fel Dad, ti wrth dy fodd ar feic a bod allan yn yr awyr iach,
Ti'n joio canu, darllen a *play dates* efo dy ffrindiau bach.
Ti'n wych am flaenoriaethu, dy air cynta oedd Mam,
A ti'm yn stopio siarad, a fedra i ddim dallt pam?!

Blwyddyn a diwrnod o hwyl, ar y siwrne ore rioed,
Den ni 'di dysgu gymaint gan ein hathrawes fach un oed.
Yng ngeirie Dad, ti'n *class*, ti'n *epic* a ti'n *funny*,
Does dim dwywaith mai ti yw ein huchafbwynt ni.
Diolch am ddod i'n bywyd, ti werth y byd yn grwn,
Fy nghariad oll, Elsi, ar y diwrnod arbennig hwn.

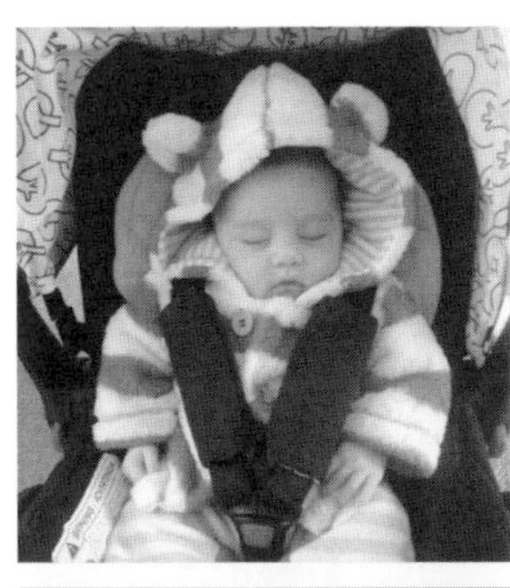